Bienvenue
dans le monde des

Téa Sisters

Ce livre
appartient à:

Salut, c'est Téa !

Oui, Téa Stilton, la sœur de *Geronimo Stilton!* Je suis envoyée spéciale de l'*Écho du rongeur*, le journal le plus célèbre de l'île des Souris. J'adore les voyages et l'aventure, et j'aime rencontrer des gens du monde entier !

C'est à Raxford, le collège dont je suis diplômée et où l'on m'a invitée à donner des cours, que j'ai rencontré cinq filles très spéciales : Colette, Nicky, Paméla, Paulina et Violet. Dès le premier instant, elles se sont liées d'une véritable amitié. Et elles ont tant d'affection pour moi qu'elles ont décidé de baptiser leur groupe de mon nom : Téa Sisters (en anglais, cela signifie les « Sœurs Téa »)! Ce fut une grande émotion pour moi. Et c'est pour ça que j'ai décidé de raconter leurs aventures. Les assourissantes aventures des...

Prénom : Nicky

Surnom : Nic

Origine : Océanie (Australie)

Rêve : s'occuper d'écologie !

Passions : les grands espaces et la nature !

Qualités : elle est toujours de bonne humeur…
Il suffit qu'elle soit en plein air !

Défauts : elle ne tient pas en place !

Secret : elle est claustrophobe,
elle ne supporte pas d'être
dans un espace clos !

Nicky

Nicky

Prénom : Colette

Surnom : Coco

Origine : Europe (France)

Rêve : elle fait très attention à son look. D'ailleurs, son grand rêve, c'est de devenir journaliste de mode !

Passions : elle a une vraie passion pour la couleur rose !

Qualités : elle est très entreprenante et aime aider les autres !

Défauts : elle est toujours en retard !

Secret : pour se détendre, il lui suffit de se faire un shampoing et un brushing, ou bien d'aller passer un moment chez la manucure !

Colette

Colette

Prénom : Violet

Surnom : Vivi

Origine : Asie (Chine)

Violet

Rêve : devenir une grande violoniste !

Passions : étudier. C'est une véritable intellectuelle !

Qualités : elle est très précise et aime toujours découvrir de nouvelles choses.

Défauts : elle est un peu susceptible et ne supporte pas qu'on se moque d'elle. Quand elle n'a pas assez dormi, elle n'arrive plus à se concentrer !

Secret : pour se détendre, elle écoute de la musique classique et boit du thé vert parfumé aux fruits.

Prénom : Paulina
Surnom : Pilla
Origine : Amérique du Sud (Pérou)
Rêve : devenir scientifique !
Passions : elle aime voyager et rencontrer des gens de tous les pays. Elle adore sa petite sœur Maria.
Qualités : elle est très altruiste !
Défauts : elle est un peu timide… et un peu brouillonne.

Secret : les ordinateurs n'ont pas de secret pour elle. Elle est capable de résoudre des énigmes très compliquées en récoltant mille informations sur Internet !

Paulina

PAULINA

Prénom : Paméla

Surnom : Pam

Origine : Afrique (Tanzanie)

Rêve : devenir journaliste sportive ou mécanicienne automobile !

Passions : la pizza, la pizza et encore la pizza ! Elle en mangerait même au petit déjeuner !

Qualités : elle a beau avoir des manières un peu brusques, elle est la pacifiste du groupe ! Elle ne supporte ni les disputes ni les discussions.

Défauts : elle est très impulsive !

Secret : donnez-lui un tournevis et une clef anglaise, et elle résoudra tous vos problèmes de mécanique !

Paméla

Paméla

VEUX-TU ÊTRE UNE TÉA SISTER ?

Prénom : _ _ _ _ _ _ _ _ _ _

Surnom : _ _ _ _ _ _ _ _ _ _

Origine : _

Rêve : _ _ _ _ _ _ _ _ _ _ _ _ _ _ _ _ _ _

_ _

_ _

Passions : _

Qualités : _

_ _

Défauts : _

Secret : _

_ _

ÉCRIS ICI TON PRÉNOM !

COLLE ICI
TA PHOTO !

Texte de Téa Stilton.
*Basé sur une idée originale d'*Elisabetta Dami.
Coordination des textes de Sarah Rossi *(Atlantyca S.p.A.).*
Coordination éditoriale de Patrizia Puricelli *et* Serena Bellani, *avec la collaboration de* Maria Ballarotti.
Coordination artistique de Flavio Ferron.
Édition de Red Whale *(*Katja Centomo *et* Francesco Artibani*).*
Direction éditoriale de Flavia Barelli.
*Coordination d'*Erika Centomo. *Supervision de* Mariantonia Cambareri.
Supervision des textes de Caterina Mognato.
Sujet de Francesco Artibani *et* Caterina Mognato.
Graphisme de référence de Manuela Razzi.
Couverture de Arianna Rea *(crayonnés),* Yoko Ippolitoni *(encrage) et* Ketty Formaggio *(couleurs).*
Illustrations de Jacopo Brandi, Paolo Ferrante, Michela Frare, Daniela Geremia, Alessandra Criseo, Alessandro Muscillo, Marco Perforato, Arianna Rea, Arianna Robustelli, Maurizio Roggerone *et* Roberta Tedeschi.
*Couleurs d'*Alessandra Bracaglia, Ketty Formaggio, Elena Sanjust *et* Micaela Tangorra.
Graphisme de Paola Cantoni. *Avec la collaboration de* Yuko Egusa.
Traduction de Lili Plumedesouris.

www.geronimostilton.com

Pour l'édition originale :
© 2010, Edizioni Piemme S.p.A. – Via Tiziano, 32 – 20145 Milan – Italie
sous le titre *Lo smeraldo del principe indiano.*
International rights © Atlantyca S.p.A. – Via Leopardi, 8 – 20123 Milan, Italie
www.atlantyca.com – contact : foreignrights@atlantyca.it
Pour l'édition française :
© 2011, Albin Michel Jeunesse – 22, rue Huyghens, 75014 Paris
www.albin-michel.fr
Loi n° 49-956 du 16 juillet 1949 sur les publications destinées à la jeunesse
Dépôt légal : second semestre 2011
Numéro d'édition : 19335
Isbn-13 : 978 2 226 23099 7
Imprimé en France par Pollina, s.a. L57536

L'ÉMERAUDE
DU PRINCE INDIEN

ALBIN MICHEL JEUNESSE

Salut les amis !

VOUS AUSSI, VOUS VOULEZ AIDER LES TÉA SISTERS À RETROUVER L'ÉMERAUDE DU PRINCE INDIEN ? CE N'EST PAS DIFFICILE. IL SUFFIT DE SUIVRE MES INDICATIONS ! QUAND VOUS VERREZ CETTE LOUPE, FAITES BIEN ATTENTION : C'EST LE SIGNAL QU'UN INDICE IMPORTANT EST CACHÉ DANS LA PAGE.

DE TEMPS EN TEMPS, NOUS FERONS LE POINT, DE MANIÈRE À NE RIEN OUBLIER.

ALORS, VOUS ÊTES PRÊTS ? LE MYSTÈRE VOUS ATTEND !

Au milieu de l'océan !

La **MER** était calme, le soleil brillait sur les vagues ourlées de blanc et une brise *légère* gonflait les voiles.

Debout à la barre, je humais les *parfums* de l'océan, écoutant le cri des mouettes et le clapotis de l'eau contre la coque.

J'étais **partie** depuis une semaine de Sourisia, et j'étais maintenant au beau milieu de l'océan Ratonique du Sud.

« Départ d'une croisière en solitaire pour Téa Stilton ! » avait titré *l'Écho du rongeur* en première page. Mais ce n'était pas une **CROISIÈRE** de plaisance : chaque jour, j'avais des relevés à faire pour vérifier la bonne santé de l'océan ! Je prélevais des échantillons d'*eau*, notais le passage des bancs de sardines puis j'entrais toutes ces données sur mon ordinateur portable. J'ai l'habitude de voyager seule, surtout quand je me déplace pour mon travail, mais tout était si beau ce matin-là que j'aurais voulu pouvoir le partager avec des amis ! J'étais plongée dans ces pensées quand un signal d'appel m'arriva sur l'ordinateur.

BIIIP BIIIP BIIIP !

C'étaient mes chères Téa Sisters ! Et l'appel venait de l'Inde !

– **L'INDE ?!** fis-je, ébahie. Mais que faites-vous là-bas, les filles ?!

– C'est une longue histoire, Téa, répondit Violet.

– Une **AVENTURE** incroyable ! ajouta Colette.

– De celles que nous aurons du mal à oublier !
renchérirent alors Paméla, Nicky et Paulina, d'un
ton **enthousiaste**.

Souriant déjà, je m'étendis sur la couchette et
allongeai mes jambes pour m'installer conforta-
blement.

– D'accord, les filles, je vous écoute ! Et
quelque chose me dit que mon prochain livre se
déroulera en Inde…

J'avais raison : sur les **ROUTES**
étouffantes de l'Inde, mes amies les Téa Sisters

avaient vraiment vécu une de leurs aventures les plus *fantasouristiques* !

Si vous voulez en connaître tous les détails, installez-vous confortable-ment et... préparez-vous à naviguer dans les 🄿🄰🄶🄴🄂 de ce livre !

COMME UN PARFUM DE VACANCES

Une autre année venait de se terminer au collège de Raxford et tous les étudiants s'apprêtaient à partir en vacances.

Les Téa Sisters avaient depuis longtemps leurs billets d'avion pour rentrer dans leurs familles. Elles remplissaient leurs valises et leurs sacs à dos, et se racontaient, tout excitées, leur programme pour l'été.

– Repos et musique ! déclara Violet en s'étirant. Et gare à quiconque osera essayer de m'éjecter du lit !

Paméla hocha la tête.

– Pas de repos pour moi ! Je vais parcourir tous les États-Unis dans le nouveau bolide de mon frère Sam !

– Et moi, je ferai un séjour de détente dans un centre de thalassothérapie ! intervint Colette, qui

s'examinait dans la glace d'un œil CRITIQUE.
Regardez ces cernes... j'ai bien besoin d'une
remise en forme !

– HA! HA! HA ! Viens avec moi en Australie,
et je te remettrai en forme ! rétorqua Nicky en
riant. Au programme, VACANCES sportives
avec escalade, kayak, etc. Il y en aura pour tous
les goûts !

Pour chacune des Téa Sisters s'annonçait un été
sur mesure !

Ravies, elles pensaient à toutes les **AVEN-TURES** qu'elles auraient à se raconter à la rentrée, même si elles regrettaient un peu de ne pas passer quelques semaines de vacances ensemble…

Ce fut à cet instant que le téléphone de Nicky sonna.

TIRITIRITIIII !

Et savez-vous qui appelait ?! C'était Ashvin ! Oui, Ashvin en personne, le jeune Indien

séduisant (et un peu frondeur) que les Téa Sisters avaient rencontré dans les neiges de l'**ALASKA*** !

Ashvin cherchait à contacter Nicky mais la ligne fut coupée.

Quelques instants plus tard...

TIRITIRITIIII !

C'était lui qui rappelait, mais là encore la sonnerie s'**INTERROMPIT** !

ASHVIN !

Rapide comme l'éclair, Paulina sortit son ordinateur de son sac et l'alluma pour se connecter avec l'Inde.

– Essayons internet ! suggéra-t-elle. La communication sera peut-être plus stable !

Peu après, le visage tendu et **PRÉOCCUPÉ** d'Ashvin apparaissait sur l'écran.

– Les filles, j'ai besoin de

votre aide ! leur dit-il aussitôt d'une voix inquiète. Vous êtes mon dernier espoir ! Les Téa Sisters ÉCHANGÈRENT des regards interrogateurs : que se passait-il donc ?!

CHANGEMENT DE DIRECTION !
_c

Ashvin se trouvait dans la ville côtière de Chennai, anciennement Madras, au sud de l'Inde, où il travaillait à un très **IMPORTANT** projet pour les **Souris Bleues***.

– Depuis quelques mois, dit le garçon, je travaille avec le professeur Marwin à la création d'une oasis pour les singes qui vivent dans la ville.

– Charles Marwin, le grand éthologue** ?!? s'exclama Paulina, surprise.

– Lui-même ! confirma Ashvin. Notre but est de ramener dans leur habitat NATUREL les singes qui vivent en ville, mais c'est une tâche longue et difficile…

* C'est le nom de l'association écologiste dont Nicky et Paulina font partie.
** Spécialiste de l'étude du comportement des animaux et de leur adaptation à leur environnement.

INDE

Capitale : New Delhi

Population : environ 1 140 000 000 habitants !

Langues officielles : hindi, anglais et 21 langues locales

Forme de gouvernement : république fédérale (comprenant 28 États et 7 territoires)

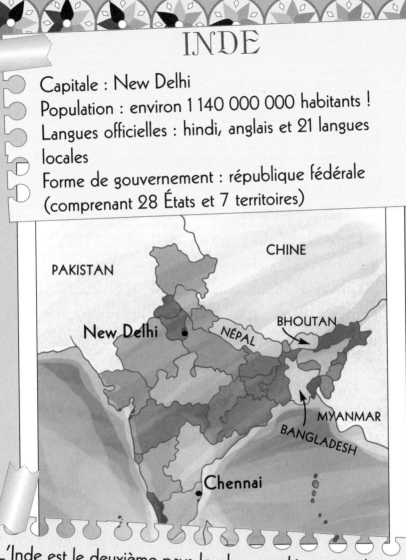

L'Inde est le deuxième pays le plus peuplé au monde après la Chine. Elle fut le berceau de civilisations très anciennes, qui remontent à plus de trois mille ans ! L'Inde fut une colonie de l'Empire britannique jusqu'en 1947, date à laquelle elle obtint l'indépendance. Aujourd'hui, l'économie indienne est en plein développement, et l'Inde fait partie des pays dits « émergents ».

– Pas un mot de plus ! intervint Pam d'un ton décidé. Explique-nous comment nous pouvons t'aider !

Les YEUX d'Ashvin brillèrent de joie : les Téa Sisters étaient des amies fantasouristiques !

Soulagé, le garçon commença à raconter :

– Dans quelques jours arrivera en ville le maharadjah* Rajan Paneer.

– Un vrai maharadjah, c'est merveilleux ! le coupa Colette, tout émue. J'ai toujours rêvé d'en rencontrer un !

Ashvin esquissa un sourire.

– Alors il faut que tu viennes ! Le fils du maharadjah, Lakshan, est un de mes meilleurs amis, et il m'a promis qu'il viendrait avec son père visiter notre OASIS !

– Une occasion à ne pas rater pour obtenir des financements et des appuis ! remarqua Paulina.

– Mais il y a un PROBLÈME, c'est cela ? Si tu dis que tu as besoin de notre aide... ajouta Violet.

– Exactement, confirma le garçon, dont le visage s'assombrit. Depuis quelque temps, les singes en

* Titre de roi et de prince chez les Indiens.

ville se comportent d'une manière bizarre. Ils sont devenus agressifs et beaucoup de gens commencent à penser que notre projet est un gaspillage d'argent !

— Et tu as une idée de la raison pour laquelle ils se comportent différemment ? demanda Paméla.

— Je n'en suis pas certain, répondit Ashvin en baissant la voix d'un air mystérieux. Mais je crois reconnaître la 🐾PATTE🐾 de quelqu'un…

– Aïe, murmura Nicky, voilà un gros problème !
Puis elle regarda ses amies, qui hochaient la tête
d'un air pénétré, et elle poursuivit :
– Ne t'*inquiète* pas, Ashvin : le temps de prendre
le premier vol pour l'Inde et tu pourras nous
raconter tout cela de vive voix !
– **Youpiii !** gloussa Pam. Nous partons pour
Chennai !

CHENNAI

Chennai est la capitale de l'État indien du Tamil Nadu.
Elle était connue dans le passé sous le nom de Madras
et compte aujourd'hui plus de 5 millions d'habitants !
Outre ses nombreuses industries, c'est également
un centre artistique et culturel très actif.
Madras a donné son nom à un tissu de coton indien
particulier, aussi léger et transparent qu'un voile !

UN ADMIRATEUR SECRET...

Le lendemain, les Téa Sisters se rendaient à l'aéroport de Sourisia et, au lieu de prendre cinq avions différents pour rentrer dans leurs pays respectifs, montèrent toutes ensemble à bord du vol direct pour New Delhi, capitale de l'INDE. À New Delhi, elles prirent un vol intérieur pour Chennai.

Aussitôt sorties de l'avion, les filles s'étonnèrent de l'activité frénétique du personnel de l'aéroport : des employés qui nettoyaient le sol, d'autres qui déployaient des tapis rouges, des hôtesses tout SOURIRE ajustant leur uniforme et lissant leurs cheveux, et partout des gardes assurant la sécurité...

– Les filles, par tous les boulons DÉBOU-LONNÉS, on dirait que nous sommes célèbres, ici ! commenta Pam, amusée.

– Hum, ce n'est pas à nous qu'on réserve cet accueil... regarde plutôt ! lui répliqua Violet en AGITANT sous son nez un journal qu'elle avait pris dans l'avion.

En première page s'étalait la nouvelle principale :

LE GRAND MAHARADJAH PANEER EN VISITE À CHENNAI !
Il portera sa célèbre émeraude à la réception de samedi dans son palais !

– Par tous les camemberts moisis, dit Pam en lisant l'article. Ce maharadjah doit être riche comme Crésus !

– Sans aucun doute. On dirait qu'ils font la répétition générale avant son arrivée ! dit Colette en riant, indiquant des hommes en uniforme qui **POUSSAIENT** des chariots chargés de bagages.

– Regarde, Coco, c'est incroyable. Quelqu'un qui voyage avec bien plus de valises que toi ! plaisanta Nicky.

Les filles éclatèrent de rire et se dirigèrent tranquillement vers la sortie, mais le rire mélodieux de Colette était parvenu aux oreilles de quelqu'un resté jusque-là INVISIBLE...

Derrière le groupe des serviteurs en uniforme roulant les bagages apparut en effet la tête d'un jeune homme au regard vif et curieux.

– Quel rire joyeux et doux à la fois ! À qui appartient cette voix ?

C'était un jeune Indien magnifique : ses yeux verts ressortaient sur la couleur *CHAUDE* et ambrée de son doux pelage délicat, et son vêtement bleu nuit portait, brodées au fil d'or, les lettres *LP*.

Malgré l'agitation qui régnait dans l'aéroport, son regard tomba aussitôt sur Colette et son *cœur*♥ sursauta.

– Cette fille… murmura-t-il d'un ton *rêveur*.

Puis il se reprit et ordonna à ses hommes :

– Trouvez qui elle est ! *À n'importe quel prix !*

– Tout de suite, maître ! s'exclamèrent deux imposants gardes du corps, qui se **précipitèrent** vers les portes vitrées par où les cinq amies avaient disparu.

Mais les Téa Sisters étaient déjà montées dans un taxi et disparurent bien vite dans le vacarme et la **COHUE** du trafic, sans que Colette se soit aperçue qu'elle avait déjà fait la conquête d'un admirateur dans la ville de Chennai...

MAIS... QUE S'EST-IL PASSÉ ?

Le taxi des Téa Sisters se frayait un chemin au milieu des embouteillages, entre les voitures, les piétons et les animaux qui envahissaient la chaussée. Des véhicules à deux ou quatre roues s'élançaient à grande vitesse dans toutes les directions : conduire semblait une entreprise impossible !

PEEE! PEEE! PEEE! fiii! SKREEEEECH!

Dans le taxi, les virages brusques, les accélérations et les coups de frein obligeaient Paulina, Violet et Colette à se tenir **FORT** aux poignées, tandis que Pam et Nicky s'amusaient comme des folles.

Cahotant et secouant ses passagères, après un dernier arrêt forcé pour laisser passer des ânes

chargés de sacs de grains et de bananes, le **TAXI** s'arrêta enfin devant la porte de l'hôtel d'Ashvin.

Pam en descendit aussitôt, *grignotant* des cacahouètes achetées pendant le trajet.

– Fantaṣouristique ! Encore mieux que les montagnes russes !

– Ou la *descente* des rapides en canoë, ajouta Nicky en s'étirant.

Colette, Violet et Paulina, loin de cet enthousiasme, étaient seulement *heureuses* d'être arrivées !

Mais soudain, pendant que le chauffeur déchargeait leurs **bagages**, un petit singe farceur, rapide comme une flèche, se précipita sur les filles !

– **Eeeh !** s'écria Colette en portant la main à ses cheveux.

Le chauffeur du taxi voulut ATTRAPER l'animal mais buta sur une valise et fit un vol plané.

En se relevant, il demanda à Colette, d'un ton las :

– Il vous a fait mal, mademoiselle ? Il vous a volé quelque chose ?

– Il m'a **ARRACHÉ** ma barrette ! balbutia Colette, encore sous le choc.

Le chauffeur souffla, exaspéré :

– Ces singes ! Il y en a partout, de ces petits singes **voleurs** ! C'est insupportable !
Et il ajouta en soupirant :
– Juste au moment où le maharadjah Paneer vient dans notre ville ! Et dire qu'avant, ils s'**AMUSaient** seulement à voler un fruit de temps en temps... Depuis quelque temps, ils s'emparent de tout ce qui brille, comme des pies voleuses !

Un petit singe a volé la barrette de Colette !
Mais pourquoi s'est-il précipité sur un objet brillant
au lieu de se jeter sur les cacahouètes de Pam ?

YEK YEK YEK!

À l'hôtel, les Téa Sisters auraient dû retrouver Ashvin, venu les accueillir, mais... IL N'ÉTAIT PAS LÀ !

– Il avait pourtant promis de nous attendre ici, se désola Colette, déçue.

Pire encore : le garçon avait même oublié de réserver des chambres pour ses amies !

– Son portable ne répond pas, annonça Nicky.

Et toutes se REGARDÈRENT avec inquiétude.

– Nous pourrons peut-être trouver un indice dans sa chambre... suggéra Paulina.

Le réceptionniste accepta de les accompagner jusqu'à la chambre de leur ami, à condition qu'elles ne touchent à rien. Dès leur entrée, le rideau de la fenêtre VOLA et... un petit singe apparut, qui bondit aussitôt sur le lit ! Son pelage était orange à reflets dorés et son museau tout noir. Par intermittence, il poussait un drôle de cri, qui ressemblait à un rire :

– YEK YEK YEK YEK YEK YEK YEK YEK !

L'employé de l'hôtel tenta de le chasser :
– Allez ! Va-t'en ! Va-t'en !
Mais le petit singe, vif et agile, bondit alors sur la tête de Nicky... puis sur les bras de Violet, et pour finir arracha des mains de Paulina son *précieux* smartphone !

YEK YEK YEK YEK !

Mais le coquin avait déjà filé entre les jambes de l'employé et sautillé jusqu'au balcon, par où il disparut. Impossible de l'attraper !

– **MON SMARTPHONE !** hurla Paulina.

– Vite, en bas, rattrapons-le ! s'écria Nicky en se **PRÉCIPITANT** dans l'escalier.

Les filles dégringolèrent les marches à toute vitesse mais, une fois arrivées dans le hall, elles virent le singe qui les attendait sur le pas de la porte, l'air moqueur, prêt à s'**ENFUIR** de nouveau.

– On dirait qu'il veut **JOUER** aux gendarmes et aux voleurs ! s'exclama Colette. Sauf que nous ne connaissons pas la ville : comment pourrions-nous donc le **suivre** ?

– En *tuk-tuk* ! suggéra l'employé.

Il mit deux doigts dans sa bouche et lança un sifflement **aigu** :

FIIIIIIIIIII !

Aussitôt surgirent deux triporteurs, dans lesquels les filles s'empressèrent de monter, tandis que

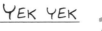

l'employé de l'hôtel désignait le **singe** aux conducteurs :

– Suivez-le !

Les chauffeurs des *tuk-tuk* enfoncèrent l'accélérateur et les deux engins se catapultèrent au milieu du trafic.

Le malin petit animal semblait s'amuser comme un fou de la poursuite et courait en zigzag d'un trottoir à l'autre. Mais les conducteurs des deux *tuk-tuk* n'étaient pas en reste : ils se faufilaient entre les voitures, évitaient les passants, slalomaient entre les charrettes de fruits et légumes comme à la course !

Mais ils faillirent quand même emboutir une limousine noire, qui eut tout juste le temps de freiner pour les éviter.

Le passager se pencha par la vitre : c'était le mystérieux admirateur de *Colette* !

Il reconnut cette chevelure blonde et son cœur bondit dans sa poitrine.

– *C'est elle !* s'exclama-t-il. Vite ! *SUIVEZ-LAAAAA !*

Ainsi commença une double poursuite : les filles suivaient le petit singe, mais étaient suivies à leur tour par la limousine noire du **mystérieux** jeune homme !

Hélas, l'encombrante voiture ne put aller bien loin et se retrouva vite **BLOQUÉE** dans la circulation. Pour la seconde fois le jeune homme voyait s'envoler l'occasion de connaître celle qui faisait battre son *cœur* !

Pendant ce temps, le singe et les deux *tuk-tuk* se rapprochaient de plus en plus de la côte.

Soudain, l'animal s'arrêta et se retourna avec **effronterie**, comme pour vérifier qu'on l'avait suivi jusque-là. Alors il grimpa sur un mur de clôture et **DISPARUT** de l'autre côté.

Les *tuk-tuk* stoppèrent et l'un des chauffeurs indiqua aux jeunes filles une ▓▓▓ ▓▓ ▓▓▓ ▓▓▓ ▓▓▓ latérale :

– Là-bas au coin, il y a une grille, par où vous pouvez entrer. C'est l'école de *danse* Bharata Natyam !

Les Téa Sisters ne se le firent pas dire deux fois et se retrouvèrent bientôt dans une magnifique cour ombragée de PALMIERS.

UN ENDROIT MAGIQUE !

Au fond de la cour se dressait un bâtiment ancien, orné d'arcades soutenues par de MINCES et gracieuses colonnes.

Le bruit de la circulation n'était plus qu'une rumeur étouffée et lointaine, tandis qu'une douce musique invitait à entrer.

Le **Bharata Natyam** est une très ancienne danse traditionnelle indienne comportant un ensemble de pas de danse, de la déclamation, de la musique et de la poésie.

Les trois premières syllabes du nom « Bha », « Ra » et « Ta » signifient en effet : expression, mélodie et rythme.

Dans le passé, cette danse était exécutée uniquement dans les temples par les *devadasi*, des danseuses, auxquelles le Bharata Natyam était enseigné dès l'enfance. La technique de cette danse est en effet très difficile : elle exige vigueur et grâce, équilibre et souplesse des mouvements, une grande résistance physique et un sens particulier du rythme. C'est pourquoi elle nécessite des années d'exercice !

Le Bharata Natyam est originaire du Tamil Nadu, l'État dont Chennai est la capitale.

C'est une danse si importante que souvent les figures qui décorent les temples montrent justement des pas de Bharata Natyam !

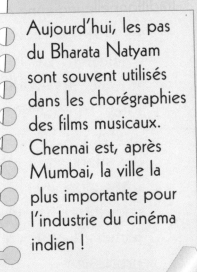

Aujourd'hui, les pas du Bharata Natyam sont souvent utilisés dans les chorégraphies des films musicaux. Chennai est, après Mumbai, la ville la plus importante pour l'industrie du cinéma indien !

La porte de l'école était ouverte, et les *fiffes* avancèrent sur la pointe des pieds pour ne pas troubler la paix des lieux.

Elles traversèrent le vestibule en se laissant guider par les accents envoûtants et *sinueux* des sitars* et des flûtes.

C'est alors qu'elles arrivèrent dans une seconde cour intérieure, plus **ombragée**, où un groupe de jeunes filles répétait des pas de danse face à un professeur.

C'était une danse très *entraînante*, rendue plus joyeuse encore par la grâce des danseuses et par les couleurs **FLAMBOYANTES** de leurs costumes.

Le professeur les encourageait d'un ton vif :

– Allons, jeunes filles ! Il faudra donner le meilleur de nous quand nous danserons devant le maharadjah !

Puis elle s'aperçut de la présence des Téa Sisters et fit signe aux élèves de s'arrêter.

– C'était **MERVEILLEUX** ! s'exclama Violet.

Les petites danseuses rougirent, intimidées par ce public inattendu, et certaines esquissèrent une révérence MALADROITE.

    – Aimeriez-vous visiter notre école ? demanda gentiment le professeur.

    Paulina allait lui répondre, quand elle vit la tête du petit singe roux au milieu d'un buisson de fougères.

    – *Le voilà !* s'écria-t-elle. Il a encore mon smartphone entre les PATTES !

    Le malicieux animal se glissa entre les jambes des danseuses, disparaissant derrière leurs costumes multicolores.

    – Jaya ! s'exclama une petite voix indignée. Tu as recommencé, espèce de COQUIN !

C'était la plus jeune des danseuses, une petite fille d'une dizaine d'années, qui grondait l'animal.

    – Rends-le tout de suite ! lui ordonna-t-elle en levant l'index. Et ne refais jamais plus ça !

Le singe s'avança **TIMIDEMENT** vers Paulina et lui tendit son smartphone. Il avait presque l'air de vouloir demander pardon !

Souriante, la petite fille se présenta :

– Je m'appelle **SHAILA**. Et je vous présente Jaya, mon ami le singe !

Puis, d'un ton sérieux et posé, elle ajouta :

– Je vous prie de l'excuser. Il ne sait pas résister aux gadgets électroniques ! Portables, consoles de jeux, smartphones, il faut absolument qu'il s'**amuse** avec ! Ensuite, il les rend, croyez-moi ! Ça oui, il les rend toujours !

Paulina **SOURIT** chaleureusement à Shaila :

comme elle lui rappelait sa petite sœur Maria !
– Ne t'en fais pas, dit-elle. Mon smart-phone n'a rien, et puis, grâce à Jaya, nous avons découvert cet endroit extraordinaire ! C'est une école de danse, n'est-ce-pas ?
Les yeux de Shaila s'*illuminèrent.*
– Oui, la meilleure école de danse du monde !

UN PETIT
SINGE
POUR AMI

Le professeur de danse emmena les Téa Sisters visiter l'école et leur raconta avec enthousiasme l'antique histoire du Bharata Natyam.

Shaila, elle, expliqua à Paulina comment était née son amitié avec le *petit* Jaya :

– Nous avons pratiquement grandi ensemble ! Mais pendant que je suis à l'école pour **étudier**, il part quelquefois se promener en ville et fait des **bêtises**...

– Je suis désolée de te le dire, Shaila, intervint Colette, mais il ne se contente pas de se promener dans les ▓▓▓▓▓... il entre aussi dans les appartements !

À ces mots, la petite fille tressaillit.

– Mais c'est impossible ! Il ne ferait jamais une chose pareille !

– Hélas, confirma Nicky. Il est entré dans la chambre d'hôtel de notre ami Ashvin !

Les beaux yeux de Shaila furent aussitôt plus tranquilles, et la petite fille, soulagée, soupira :

– *Ashvin !* Je comprends mieux maintenant... Voyez-vous, Ashvin et Jaya sont de GRANDS amis. Ashvin lui a sauvé la vie un jour, et Jaya va souvent lui rendre visite...

– Tu connais donc Ashvin ?! l'interrompit Paméla. Peut-être sais-tu où il est ?

Shaila écarta les bras en signe d'impuissance.

– Je n'en ai aucune idée ! À moins que...

– À moins que ?!?

– Il est peut-être au palais des singes.

– Un palais ? fit Pam en écarquillant les YEUX. Les singes ont donc un palais ?

Shaila éclata de rire.

– Mais non ! Ashvin et moi, nous l'appelons ainsi parce que beaucoup de singes s'y réfugient avec leurs *petits*. C'est là qu'Ashvin a sauvé Jaya des mains d'un vilain bonhomme !

Les Téa Sisters se firent INDIQUER le chemin pour arriver au palais et prirent congé de Shaila, en promettant de revenir lui donner des nouvelles de leur ami commun. Elles décidèrent alors de se **SÉPARER**.

– Deux d'entre nous iront à l'hôtel, et les trois autres au palais, proposa Paulina. Les premières qui trouvent Ashvin avertiront les autres !

Violet et Colette REVINRENT donc en *tuk-tuk* à l'hôtel, tandis que Pam, Paulina et Nicky se faisaient accompagner au palais...

 Shaila a parlé d'un « vilain bonhomme » : qui est-ce ? A-t-il quelque chose à voir avec la disparition d'Ashvin ?

ATTRAPEUR DE SINGES!

Pam, Paulina et Nicky virent se dessiner dans le lointain le palais dont Shaila avait parlé, plus haut que les toits environnants et joliment ÉCLAIRÉ par le soleil.

Il était midi maintenant, et la chaleur devenait oppressante. La fatigue du long VOYAGE commençait à se faire sentir, et l'estomac de Paméla protestait en gargouillant. Mais quand la ▓▓▓ ▓▓ ▓▓▓ s'ouvrit sur une esplanade et qu'apparut le palais dans toute sa splendeur, les filles oublièrent d'un coup CHALEUR, faim et fatigue.

– Waouh ! s'exclama Pam. Quel luxe !

– Quelle merveille ! fit Paulina en écho.

De près, sans le soleil dans les yeux, les filles découvrirent que le palais était orné d'une

myriade de petits clochetons *ouvragés* peints
de couleurs vives.

Comme elles pénétraient dans la cour du palais,
Nicky indiqua non loin une colonnade où un
groupe de singes semblait s'abriter du soleil trop
FORT.

– Regardez tous ces singes !
– Les pauvres, ils cherchent un peu d'**ombre**…
dit Paulina, tout attendrie.

Soudain, à cet instant précis...

EEEEEEEEEEEEEHHH !

... un cri assourdissant les fit toutes **SURSAUTER** et se boucher les oreilles. Aussitôt, les singes s'enfuirent dans toutes les directions.

Qu'était-ce donc ?

Elles virent alors un individu qui déambulait dans la cour, armé d'un filet.

À sa vue, les singes étaient pris de peur. Et en moins de temps qu'il n'en faut pour le dire, tous s'étaient cachés !

Le vilain **BONHOMME** se recroquevilla derrière un pilier et lorgna l'intérieur de la colonnade, son filet toujours à la main.

Paulina s'aperçut qu'un des singes s'apprêtait à sortir de l'**ombre**. Inconscient du danger, il ne s'était pas échappé comme les autres...

– Eh ! Attention ! l'avertit Paulina d'instinct.

En entendant cette voix **inquiète**, le petit singe fit un bond en arrière et disparut de nouveau dans la pénombre de l'intérieur.

LA SOLUTION SE TROUVE À LA PAGE 214.

– **ARRRGH !** s'exclama l'individu au filet, en se retournant avec une expression FÉROCE vers l'endroit où on avait crié.

Un épais sourcil noir broussailleux formait un trait unique et continu au-dessus d'un regard furibond.

– Et vous, qui vous êtes ?! Pourquoi vous l'avez fait se sauver, hein ? J'ai mes papiers d'attrapeur de singes, je suis en règle !

– *UN ATTRAPEUR DE SINGES ?!?* s'exclamèrent à l'unisson Nicky et Pam, qui n'avaient jamais entendu cette expression.

– Oui, attrapeur de singes… c'est mon métier ! répliqua le bonhomme, en sortant de sa poche un papier qu'il *AGITA* en l'air tout en disant : Je m'appelle Gurnam et j'ai une autorisation régulière, délivrée par la préfecture de **POLICE** !

– C'est vous qui le dites… marmonna Nicky, MÉFIANTE.

– Est-ce que vous travaillez aussi au ramassage des singes ? intervint Paulina. Alors vous connaissez forcément notre *ami* Ashvin, des

ATTRAPEUR DE SINGES

Dans les villes indiennes, il est courant de voir des vaches, des buffles, des singes et d'autres animaux se promener en liberté. Ces dernières années, cependant, les bandes de singes sont devenues un vrai problème dans les villes ! Ils grimpent dans les maisons, se précipitent au milieu du trafic, arrachent la nourriture des mains des passants. Les autorités indiennes recourent donc à des « attrapeurs de singes », qui débarrassent les villes de ces bandes de petits singes errants et les transportent ailleurs, sans leur faire de mal.

C'est un travail difficile et délicat, et la population tout entière respecte ceux qui en sont chargés, qui jouent un grand rôle dans la santé et la défense des animaux.

Souris Bleues ! Vous ne l'auriez pas vu dernière-ment, par hasard ?

Une bouffée de **CHALEUR** parut envahir les joues de Gurnam. Il se mit à crier :

– ASHVIN ! Je ne l'ai pas vu et je ne veux pas le voir. CETTE ESPÈCE DE FOUINEUR !

CE MONSIEUR DE-QUOI-JE-ME-MÊLE !

Il semblait vraiment furieux. Les mots lui sortaient de la bouche en FLOT continu :

– Moi, je débarrasse la ville des singes ! Je suis un bienfaiteur, *moi* ! Et celui-là, il vient s'en mêler et les fait s'*ÉCHAPPER* !

Puis il pointa vers les filles un doigt menaçant.

– Dites à Ashvin que je ne veux plus le voir dans les parages, compris ? Et pareil pour vous : que je

ATTRAPEUR DE SINGES !

ne vous voie plus ! Si vous gênez mon
travail encore une fois, je vous ferai
ARRÊTER !

Les trois amies sursautèrent : quel sale
caractère !

Gurnam est vraiment agressif et antipathique !
Mais pourquoi est-il si en colère après Ashvin ?

PRIS AU PIÈGE !

Paméla, Nicky et Paulina, qui ne s'attendaient pas à une réaction aussi BRUSQUE, ne surent que répondre.

D'ailleurs, Gurnam avait une autorisation officielle, qui lui donnait parfaitement le droit de ramasser les petits singes pour les emporter à l'extérieur de la ville. Les singes sauvages, c'est vrai, étaient devenus un gros problème à Chennai. Les filles l'avaient constaté elles-mêmes dès leur arrivée à l'aéroport, et tous disaient que les VOLS s'étaient multipliés dernièrement !

– Évidemment, tous les singes n'ont pas été éduqués comme Jaya à rendre les objets volés... dit Pam, réfléchissant à voix haute.

Nicky ajouta :

– Et le projet des **Souris Bleues**, c'est justement de les retirer des rues pour les réinsérer dans leur HABITAT naturel, autrement dit dans la forêt.

– C'est vrai ! convint Paulina. Mais il y a manière et manière de les **CAPTURER**... En principe, les attrapeurs de singes font tout pour ne pas les **EFFRAYER**. Or ce vilain bonhomme fait exactement le contraire...

Pendant ce temps, Gurnam s'était remis en position, aux aguets derrière une colonne.

Un *bébé-singe* trop curieux, en effet, s'était éloigné de sa mère et se rapprochait dangereusement de Gurnam. Brusquement, celui-ci, rapide comme l'éclair, jeta sur lui son filet.

Pris au piège, le petit singe commença à se **débattre** en poussant des cris de peur.

Paulina ne put retenir sa désapprobation :

– **Non, pas les petits !** Il ne faut pas les séparer de leur mère !

Gurnam se tourna vers elle en RICA-NANT, mais cette seconde d'inattention sauva le bébé-singe.

Car Ashvin avait surgi à l'improviste (mais où était-il donc CACHÉ ?!) et avait arraché à Gurnam le filet emprisonnant le petit singe.

Les filles n'en croyaient pas leurs yeux : c'était bien lui, c'était leur ami !

Ashvin partit en courant.

L'attrapeur de singes se lança à sa poursuite, et tous deux DISPARURENT à la vue des filles.

En suivant leurs traces, Paulina découvrit derrière un buisson un paquet laissé là, qui bougeait...

– Le bébé ! s'écria-t-elle, en se précipitant à son SECOURS.

Mais une maman-singe, jaillie de sous le portique, arriva vers les filles à toute vitesse :

– *YEEEK !*

Dès qu'il entendit cet appel, le bébé-singe bondit des bras de Paulina et courut rejoindre sa mère.

Qu'ils étaient **mignons** tous les deux !

Ash, méfie-toi...

Il ne s'était pas écoulé une minute depuis l'incident quand Ashvin reparut au palais, l'air **BRAVACHE**.

– Ce Gurnam court encore ! Hé hé hé ! ricanait-il en revenant à la hauteur des filles.

Puis, tout à coup, l'œil écarquillé, il s'exclama :

– Mais… un instant : que faites-vous ici ?!?

– Ah ! Enfin tu t'en aperçois ! plaisanta Pam. Est-ce que tu ne devais pas nous accueillir à l'hôtel ?!

Paulina le chapitra :

– Par ch*nce, nous sommes arrivées avant que tu te crées de *sérieux* ennuis !

– Des ennuis, c'est plutôt à Gurnam que nous allons en faire, répliqua Ashvin. Il a peut-être une autorisation officielle, mais je vous assure que ses méthodes sont totalement ILLÉGALES.

– Ashvin, méfie-toi... lui objecta Nicky. Tes méthodes à toi sont aussi incorrectes que les siennes, et elles se retourneront contre toi. Si tu continues, tu vas te faire arrêter !

– Allons ! souffla le garçon, agacé. Ce que vous ne comprenez pas, c'est que le maharadjah sera là dans quelques jours et que la situation est de pire en pire !

Ashvin se mit à marcher de long en large et, très agité, leur expliqua :

– Ce sont les individus comme Gurnam qui créent les problèmes ici. Ils énervent les singes, ils les divisent en groupes dépourvus de chef, et ils mettent ainsi en PÉRIL notre oasis, dont les méthodes sont complètement différentes !

Pam acquiesça :

– C'est vrai que les méthodes de Gurnam sont plutôt BRUTALES.

Ashvin renchérit :

– Et je soupçonne en plus quelque chose de LOUCHE !

– Dans ce cas, répliqua Paulina, le mieux serait d'apporter des preuves : des films et des photos ! Tu pourrais lui faire retirer son autorisation !

Ashvin essaya de se *calmer* et de réfléchir. Pour

un caractère impétueux comme le sien, agir selon son *INSTINCT* était chose naturelle, mais ses amies avaient raison : s'il se faisait arrêter, il ne pourrait plus rien faire pour ses amis les singes !

– Oui, c'est peut-être le **mieux** à faire, finit-il par convenir, résigné.

Les trois filles soupirèrent, soulagées.

– Et maintenant, conclut Pam avec une **TAPE** sur l'épaule d'Ashvin, je crois qu'il est temps d'aller manger un bon morceau !

Les méthodes de Gurnam sont très agressives, mais cet homme possède une autorisation officielle. Que cache donc l'antipathique attrapeur de singes ?

DÎNER DE GALA !

Ce soir-là, Ashvin invita les filles à un dîner organisé par Lakshan Paneer, le fils du maharadjah.

Le jeune homme précédait son père de quelques jours et entendait saisir l'occasion de montrer à tous la générosité et la richesse de la famille Paneer.

– Lakshan est arrivé à Chennai justement aujourd'hui ! Je lui ai beaucoup parlé de vous et il est si CURIEUX de vous connaître qu'il nous a tous invités au dîner de gala de ce soir.

– D... dîner de gala ?!? balbutia Colette. OOOH, je n'arrive pas à y croire ! Des robes de soirée, des bijoux

magnifiques, une nourriture *raffinée* et la compagnie des gens les plus en vue de la ville…

Pour la soirée, les Téa Sisters décidèrent de porter le SARI, la tenue traditionnelle des femmes en Inde. Et Colette saisit l'occasion pour ENTRAÎNER ses amies visiter les plus célèbres ateliers de soierie.

Chacune choisit un sari correspondant à son propre style, et c'est très élégantes qu'elles firent leur entrée au restaurant.

– Quelle classe ! commenta Ashvin, vêtu d'un *sherwani** bleu ciel qui mettait en valeur ses beaux YEUX noirs.

Les filles furent éblouies en découvrant le décor somptueux et les lumières du restaurant.

Pam, Paulina, Violet et Nicky regardaient autour d'elles, émerveillées, tandis que Colette s'avança, tout SOURIRE, à l'aise comme un poisson dans l'eau.

Ashvin les mena d'un pas **ASSURÉ** vers l'hôte de la soirée.

* Longue veste pour homme en tissu précieux, souvent richement brodée.

– *Venez !* les exhorta-t-il. Je veux vous présenter Lakshan. Il a l'air un peu **sérieux**, mais c'est quelqu'un de très sympathique !

Ashvin s'approcha d'un jeune homme grand et élégant qui leur tournait le dos et attira son attention, annonçant d'un ton solennel :

– Noble Lakshan Paneer…

Le jeune homme reconnut aussitôt la voix de son ami et se retourna avec un sourire.

– *Ashvin !* Enfin vous êtes arrivés !

Mais… quelle SURPRISE ! Lakshan était ce garçon qui, à l'aéroport, avait été tellement charmé par le rire de Colette !

VOUS L'AVEZ RECONNU ? C'EST LUI LE MYSTÉRIEUX ADMIRATEUR QUE NOUS AVONS RENCONTRÉ PAGE 30 !

L'ÉMERAUDE DU MAHARADJAH

Le mystérieux admirateur de Colette n'était donc autre que Lakshan Paneer, le fils du maharadjah !

Ce soir-là, le garçon portait un costume traditionnel vert à broderies d'argent et un turban orné d'une émeraude **ÉNORME**, qui faisait encore mieux ressortir la beauté de ses YEUX verts.

Les Téa Sisters furent saisies par la noblesse d'allure et l'*élégance* du jeune homme.

Ashvin commença les présentations :

– Lakshan, voici les amies dont je t'ai tant parlé : Violet, Nicky, Paméla, Paulina, Colette...

Mais il s'arrêta net en voyant son ami tout pâle, les yeux écarquillés, la bouche ouverte, incapable d'émettre un son. Lakshan n'en croyait pas ses yeux : cette jeune fille qui l'avait tant frappé à l'aéroport, qu'il avait cru ne plus jamais revoir, était là, devant lui... plus **belle** encore que dans son souvenir !

– Euh... c'est un plaisir de vous rencontrer ! murmura Colette, **EMBARRASSÉE,** mais captivée en même temps par le regard intense de Lakshan.

– T... tout le p... plaisir est p... pour moi ! **balbutia**-t-il, tandis qu'Ashvin le regardait, perplexe.

– **HUM-HUM,** on dirait que l'ami d'Ashvin a tout de suite eu un béguin pour notre Colette ! chuchota Pam à Nicky.

– Tu veux plutôt dire un coup de **foudre** ! rétorqua en souriant cette dernière, mais si fort que Lakshan l'entendit et rougit jusqu'à la **pointe** des oreilles.

Tous alors éclatèrent **joyeusement** de rire. Cependant, la soirée réservait encore bien des surprises...

_YEEEEEEEEEEEEKKK !

Soudain, un groupe de singes fit **IRRUPTION** par les fenêtres ouvertes de la salle. Un cyclone de petites pattes agiles et véloces s'abattit sur les tables, les plats et les couverts, semant partout la plus grande confusion.

Les invités se mirent à crier, effrayés et étourdis par tout ce vacarme, mais l'assaut ne dura que quelques minutes, et cessa brusquement.

Aussi vite qu'ils étaient venus, les singes avaient disparu par les fenêtres et s'étaient dispersés dans la NUIT.

Comment se fait-il que les singes soient aussi bien organisés et dressés à voler ?

Les clients et les serveurs du restaurant restèrent abasourdis à se regarder.

Lakshan, d'instinct, s'était rapproché des filles pour les protéger.

– Vous allez bien ?

Colette, intimidée, sourit en voyant qu'il lui avait pris *délicatement* la main.

– Oui, merci, Lakshan… nous sommes entières !

Mais Violet s'aperçut que quelque chose manquait sur le turban du garçon.

– Ton émeraude ! Ils l'ont volée !

Au même instant, le CRI d'une dame glaça toute la salle :

– Mon pendentif ! hurla-t-elle, paniquée. Ils me l'ont pris !

Nombreux furent alors les invités qui découvrirent la disparition, qui d'un collier, qui de ses bracelets ou de ses boucles d'oreille…

– Les singes ont volé tous les bijoux ! s'exclama Nicky, stupéfaite.

– Ils n'ont même pas touché la nourriture !

Comment est-ce possible ?! ajouta Paulina, incrédule.

Pam hocha la tête, résolue.

– Nous devons découvrir ce qu'il y a là-dessous !

– Et nous devons le faire très *VITE*, fit Ashvin. Dans deux jours, le père de Lakshan sera ici, et quand il découvrira le vol de l'émeraude... il entrera dans une FUREUR noire !

Nous sommes là pour t'aider, Ash !

Le lendemain matin, Ashvin, Lakshan et les Téa Sisters se RENCONTRÈRENT à l'hôtel pour établir un plan d'action.

Ashvin était ABATTU.

– Après le vol d'hier, le maharadjah pensera que les singes sont devenus incontrôlables et il nous retirera son appui pour notre projet d'oasis !

Lakshan était tout PÂLE et rongé de remords.

– Si seulement je n'avais pas porté l'émeraude de mon père ! Mais j'avais PEUR de décevoir mes invités, qui voulaient tous pouvoir l'admirer !

– Ce n'est pas ta faute, Lak ! dit Pam pour le consoler. C'est le comportement des singes qui est vraiment bizarre !

– Tu as raison, Pam ! acquiesça Paulina, convaincue. Ces singes semblent ENTRAÎNÉS à voler, et à choisir ce qui a de la valeur...

– Ou ce qui BRILLE, comme ma barrette... rappela Colette.

Ashvin lâcha :

– Vous comprenez maintenant pourquoi je garde l'œil sur ce FORBAN de Gurnam ? Je suis sûr qu'il cache quelque chose !

– Nous sommes là pour t'aider, Ash ! intervint Paulina. Tous ensemble, nous éclaircirons ce mystère et nous retrouverons l'émeraude du maharadjah !

Lakshan soupira.

– Malheureusement, je dois présider une montagne de cérémonies de bienfaisance et je ne pourrai pas venir avec vous, mais si je peux faire quoi que ce soit...

– Ne t'inquiète pas, Lakshan ! le rassura Colette d'un ton décidé. Essaie seulement de garder ce vol secret jusqu'à ce que nous ayons retrouvé l'émeraude !

Lakshan SOURIT à la jeune fille et les Téa Sisters échangèrent un regard complice : ne se passait-il pas quelque chose entre ces deux-là ?

Prenant congé de Lakshan, le groupe passa aussitôt à l'action : en premier, ils décidèrent de se rendre au hangar de Gurnam pour voir comment les singes capturés y étaient traités.

Devant l'hôtel, Jaya les attendait : le petit singe sauta tout joyeux dans les bras de Paulina et lui claqua un baiser sonore sur la joue.

SMACK !

À l'évidence, il s'était autoproclamé la mascotte du groupe !

Pour circuler en ville, Ashvin utilisait une VIEILLE camionnette déglinguée mais assez grande pour accueillir six passagers.

– Hum, il va vraiment falloir monter dans cette GUIMBARDE ?! demanda Paméla, perplexe.

Ashvin éclata de RIRE et l'invita à s'installer au volant :

– Ma chère Pam, ce n'est pas la carrosserie qui fait la voiture ! Et puis, avec toi au volant, n'importe quelle guimbarde devient capable de faire le **GRAND HUIT** !

Pam tourna la clef de contact et en effet... le **MOTEUR** rugit aussitôt avec une surprenante puissance !

– Par tous les pistons grippés ! Une guimbarde, allons donc ! Le moteur de cette camionnette est une vraie **BOMBE** ! exulta Pam en démarrant comme une fusée.

LES SECRETS DE GURNAM

Le hangar de Gurnam était désert. Après un rapide tour d'inspection, les jeunes gens trouvèrent une petite porte sur le côté qui leur permit d'entrer.

Une fois à l'intérieur, cependant, ils durent se boucher le nez : la saleté et l'air vicié rendaient l'atmosphère irrespirable !

– Mais cet endroit est *répugnant* ! gémit Colette, ÉCŒURÉE.

Jaya se mit aussitôt à pousser de petits cris et à s'agiter, et Paulina essayait de le *tranquilliser*.

L'intérieur était plutôt dépouillé : deux chaises, un bureau, quelques cages vides et des instruments pour CAPTURER les singes.

Sur le bureau se trouvait un grand registre qu'Ashvin s'empressa de feuilleter.

– C'est la liste des oasis de réinsertion auxquelles les singes ont été remis…

Violet et lui examinèrent le *registre* : tout semblait régulier.

Paméla fit COULISSER l'un après l'autre les tiroirs du bureau et hocha la tête.

– Rien d'intéressant ici : juste des crayons et du matériel de bureau !

En essayant d'ouvrir le dernier tiroir, cependant, elle sursauta : quelque chose le bloquait à la moitié !

Elle glissa la main pour dégager ce qui gênait mais ne trouva rien. Elle tira alors de toutes ses **forces** et...

CLAC !

... le fond du tiroir se souleva dans un **déclic** !

– Un double fond ! s'écria Pam, abasourdie.

Elle fit alors coulisser la mince plaque de **BOIS** qui s'était soulevée et resta les yeux écarquillés devant ce qu'elle vit dessous.

– *Des bijoux !* murmura-t-elle dans un filet de voix.

– DES BIJOUX ?!! répéta Ashvin, incrédule, en se penchant par-dessus le bureau.

– Mais c'est le diadème volé au restaurant ! s'exclama Colette. Et ces boucles d'oreille aussi... je les reconnais !

– L'émeraude du maharadjah, en revanche, n'est pas là, intervint brusquement Ashvin, furieux. Mais cette découverte confirme mes pires soupçons...

– Les singes ont rapporté le butin à Gurnam ! conclut pour lui Nicky, avec une grimace indignée.

Mais les révélations sur le compte de l'attrapeur de singes n'étaient pas terminées.

Sous les bijoux, en effet, ils trouvèrent un autre registre...

Les singes qui ont volé les bijoux au restaurant ont rapporté le butin au hangar de Gurnam...
Ce personnage antipathique aurait-il quelque chose à voir avec l'étrange comportement des singes dans la ville de Chennai ?

LE MYSTÈRE SHILUX

Le registre caché avait l'apparence d'un inventaire, mais il était difficile de comprendre de quoi il s'agissait. Des dates et des chiffres y étaient inscrits, mais qui ne semblaient avoir aucun LIEN avec le ramassage des singes et leur réinsertion dans les oasis.

Un nom mystérieux revenait souvent : « Shilux ».

– Aucune adresse, murmura Paméla avec perplexité, feuilletant les pages à son tour. Aucun numéro de téléphone…

Au dernier feuillet, cependant, elle découvrit au verso une *note* au crayon : *Vettuvankeni, 139 East Coast Road.*

Ashvin réfléchit :

– Vettuvankeni… c'est un village sur la côte, à environ vingt kilomètres d'ici. Mais il y a aussi une zone INDUSTRIELLE de ce nom… Gurnam a peut-être un second hangar là-bas !

– Allons-y, et nous en aurons le cœur net ! déclara Nicky d'un ton DÉCIDÉ. Il faut absolument trouver des preuves supplémentaires pour stopper ce criminel !

Paulina et elle PHOTOGRAPHIÈRENT le hangar, afin de conserver des preuves de la saleté et du mauvais état des lieux où les singes étaient parqués, puis elles revinrent en courant jusqu'à la camionnette, et Pam démarra en trombe.

La East Coast Road était une route large qui longeait la côte. Bien entretenue, elle traversait de

beaux paysages, mais dans la zone industrielle de Vettuvankeni le décor changea : tout y était **gris** avec partout des hangars et des bâtiments tristes.

– **Shilux !** cria Colette. Tourne à droite, Pam ! J'ai vu l'inscription *Shilux* !

Colette-Œil-de-lynx avait repéré instantanément les lettres *Shilux Electrics* sur le toit d'un bâtiment **décrépit**.

Paméla fit une manœuvre et s'arrêta devant. L'endroit semblait abandonné. Les portes fermées, les rideaux de fer baissés.

Ils descendirent de la camionnette, ne sachant trop que faire, tandis que Jaya SAUTILLAIT çà et là, plus agité que jamais.

– On dirait qu'il veut nous dire quelque chose ! devina Paulina en OBSERVANT l'animal.

Pam posa l'oreille contre un des rideaux de fer.

– Pfff ! se désola-t-elle. Si au moins nous pouvions jeter un coup d'œil à l'intérieur...

Ils firent le tour du bâtiment, l'examinant pas à pas. À l'arrière, sur un terre-plein, une GROSSE voiture était garée.

Nicky découvrit une échelle de fer soudée contre un des murs de la construction : elle conduisait à la terrasse qui formait le toit de l'entrepôt.

– Je monte voir Là-HAUT ! dit-elle d'un ton décidé.

– Je viens avec toi ! déclara Ashvin.

La terrasse était surplombée par une grande verrière qui fournissait de la LUMIÈRE aux espaces intérieurs. Ashvin et Nicky se penchèrent prudemment pour regarder en bas et… eurent du mal à retenir un **cri** de surprise !

L'ÉCOLE DES VOLEURS !

Nicky et Ashvin n'en croyaient pas leurs yeux. Ils se penchèrent une nouvelle fois pour bien REGARDER.

À l'intérieur d'une vaste pièce se trouvaient des dizaines de singes enfermés dans des cages. Deux gardiens étaient là, flanqués chacun d'un grand **singe** gris à l'air féroce.

Ashvin chuchota :

– Les gardiens sont des *langur walla*, c'est-à-dire des « maîtres-**LANGURS** ».

Comme Nicky ne comprenait pas, il précisa :

– Les deux singes sont des langurs, une race particulière, dont les autres singes ont très peur. On s'en sert pour garder le contrôle sur les singes **ERRANTS**.

– C'est vrai qu'ils ont l'air **menaçants**, ces deux langurs ! souffla Nicky. Mais les gardiens ne me plaisent pas non plus !

– Tu as raison, car c'est eux, sûrement, qui ont dressé les langurs à être **FÉROCES** ! convint Ashvin. Jaya est un langur, lui aussi, du type « langur doré », mais il est très sociable !

Mais le plus **bouleversant** était la scène qui se déroulait sous leurs yeux : les gardiens étaient en train de dresser un singe à voler ! L'animal s'approchait tout doucement d'un mannequin habillé en femme et couvert de bijoux. Puis, rapide comme l'**ÉCLAIR**, il défaisait le collier et courait le remettre à l'un des deux gardiens. En échange, il recevait une **BANANE**.

– *Une école de voleurs !* Je n'arrive pas à y croire… chuchota Nicky à son camarade. As-tu vu le mannequin, Ashvin ? Il y a des clochettes suspendues partout. Le singe doit être assez habile pour ne pas les faire sonner !

Ashvin acquiesça :

– Et c'est seulement s'il a réussi que le gardien lui donne une RÉCOMPENSE !

Le visage de Nicky s'assombrit.

– C'est très grave, déclara-t-elle. Il faut prévenir les filles, qu'elles voient cela de leurs propres YEUX !

Elle se pencha par-dessus le mur et fit signe à ses amies de monter sans bruit par l'échelle.

QUE DIRIEZ-VOUS DE FAIRE LE POINT SUR LA SITUATION ?

Vous avez compris vous aussi quel était le plan de Gurnam ?
Revoyons ensemble les indices recueillis :
— Depuis quelque temps, les petits singes errants de Chennai se comportent bizarrement : ils volent les bijoux et les objets qui brillent, mais ne s'intéressent pas à la nourriture.
— Gurnam, l'antipathique individu chargé d'attraper les singes, utilise des méthodes brutales pour les capturer et les enferme ensuite dans un hangar dégoûtant et sale.
— Après le vol dans le restaurant, les Téa Sisters et Ashvin retrouvent les bijoux cachés dans le hangar de Gurnam, ainsi qu'un mystérieux registre.
— En suivant la piste indiquée par le nom de « Shilux », dont l'adresse est notée dans le registre secret, nos amis découvrent un second entrepôt : une véritable école des voleurs, où l'on entraîne les petits singes à voler !

TOUT S'EXPLIQUE...

C'était évident, maintenant : Gurnam avait deux activités. L'une, légale, et l'autre malhonnête !

– Voilà pourquoi il a *deux* registres ! s'écria Violet. Le registre officiel, où il consigne la remise des singes errants à l'oasis de réinsertion, et un autre, secret, dans lequel il répertorie les singes qu'il envoie apprendre à voler dans l'ancienne usine Shilux.

Colette acquiesça :

– Après quoi il lâche les singes dans la ville et les oblige à chaparder les bijoux. C'est scandaleux !

– Et voilà pourquoi dans le restaurant ils n'ont volé que les objets précieux, et pas la nourriture ! Il faut tout de suite avertir Lakshan ! reprit Paulina, indignée.

Ashvin renchérit :

– Tu as raison ! Avec son influence, il nous aidera à **MOBILISER** la **POLICE**, et nous ferons d'une pierre deux coups : nous rendrons l'émeraude à Lakshan avant l'arrivée de son père…

– … et nous coincerons ce forban de Gurnam ! acheva Pam, regard noir et sourcils froncés.

Malheureusement, Lakshan se trouvait à une cérémonie de bienfaisance, et il avait éteint son téléphone portable.

– Il faut aller lui parler ! s'exclama Ashvin en se dirigeant vers l'échelle.

– Attends, Ash ! l'arrêta Violet. J'ai vérifié les dates sur le registre de Gurnam : les DÉPLACEMENTS des singes se font tous les jeudis.

– Et AUJOURD'HUI, on est jeudi ! intervint Paulina, comprenant tout de suite le danger. Pendant que nous irons prévenir Lakshan, Gurnam viendra chercher les singes dressés, et nous ne les retrouverons plus.

Pam se gratta le front, perplexe.

– Mais comment les libérer ? Les deux gardiens n'ont pas l'air décidés à sortir...

Violet réfléchit. Puis, d'un ton SOLENNEL, déclara :

– « Même quand les bras du fleuve sont séparés, ils se rejoignent pour aller jusqu'à la mer » ! C'est ce que grand-père Tchen disait quand nous devions nous séparer, et je crois que nous ferions bien de suivre son conseil.

– Mais oui ! s'exclama Colette en serrant contre elle son amie. Tu es géniale, Vivi ! En nous sépa-

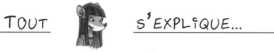

rant, nous avons plus de chances d'obtenir des résultats !

Les Téa Sisters et Ashvin ÉLABORÈRENT un plan : le moment était venu de passer à l'*ACTION* !

Un plan pour s'enfuir !

Un magnifique **COUCHER DE SOLEIL** inondait maintenant la ville de ses lueurs de feu.

Violet et Colette se chargèrent d'aller avertir Lakshan.

– Il disait ce matin que la *cérémonie* de bienfaisance aurait lieu dans le plus grand théâtre de Chennai, rappela Violet. Nous allons devoir appeler un taxi pour revenir en ville…

Pam ouvrit les bras, désolée.

– Hélas oui, les filles. Car nous, nous avons besoin de la *camionnette* !

Nicky approuva :

– Pam et moi, nous nous arrangerons pour que les gardiens nous suivent. Pendant ce temps, Ashvin et Paulina libéreront les **singes**, pour les emmener dans la forêt, à l'oasis des **Souris Bleues**.

– Et n'oublions pas notre assistant le plus *fidèle* : Jaya ! ajouta Paulina.

Comme s'il avait compris, le petit singe se mit à sauter sur place, tout CONTENT.

– C'est un plan à toute épreuve ! conclut Colette, enthousiaste.

Ashvin leva la main et, avec un sourire confiant :

– Nous réussirons ! Tapez-m'en cinq, les filles !

Les **ombres** du soir commençaient à tomber. Violet et Colette prirent les deux registres et se dirigèrent à pied vers la **ROUTE** : de là, elles appelleraient un taxi pour **RETOURNER** à Chennai et avertir Lakshan, ainsi que la police.

Nicky remonta sur le toit pour **CONTRÔLER** ce que faisaient les gardiens. L'intérieur était plongé maintenant dans la pénombre, et les deux **INDIVIDUS** étaient assis.

– Ils sont en train de manger en regardant la télévision, dit-elle aux autres à mi-voix.

– Excellent ! répliqua Pam. Nous les prendrons par **SURPRISE** !

Puis elle rassembla ses cheveux, enfonça sa casquette sur ses yeux et prit un air menaçant.

– Alors, qu'en pensez-vous ? J'ai l'air d'un **DANGEREUX** voleur, non ?

Paulina se mit à rire et lui tendit un foulard.

– Couvre-toi le visage, Pam, c'est mieux !

Nicky emprunta à Ashvin sa casquette pour se **déguiser** elle aussi. Pendant ce temps, Ashvin était allé chercher une barre de fer dans la

camionnette, afin de **forcer** la porte principale.
Un coup **SEC** et précis, et la serrure céda.
Chacun courut se cacher, tandis que Pam et
Nicky faisaient irruption à l'intérieur…

VIIIITE !

c

Les deux gardiens sursautèrent et bondirent sur leurs pieds en entendant ce *bruit* inattendu.

Nicky et Pam apparurent, telles deux **ombres menaçantes**, dans l'encadrement de la porte. La lumière derrière elles empêchait les deux individus de voir leur visage.

– Qui est là ? Qu'est-ce que vous voulez ?! grogna le plus **GRAND** des deux.

Ce qu'elles voulaient, c'était qu'ils les **suivent**, pour permettre à Ashvin, Paulina et Jaya de libérer pendant ce temps-là les petits singes prisonniers !

Alors Pam, rapide comme la **foudre**, bondit sur la télévision, arracha les câbles d'alimentation et cria à Nicky :

– Viiite !

Et les deux filles, au pas de course, s'enfuirent vers le terre-plein.

– AU VOLEUR ! ILS NOUS ONT PRIS LA TÉLÉ ! RATTRAPONS-LES !

hurlèrent les deux gardiens, furieux.

Mais Nicky et Paméla avaient déjà **SAUTÉ** dans la camionnette.

– Accroche ta ceinture, Nicky ! ordonna Pam à son amie. Nous allons faire un peu d'acrobaties !

VRAOOOUM !!!

La camionnette partit moteur emballé, tanguant dans le virage et peinant manifestement à redresser.

À voir leurs voleurs aussi MALADROITS les gardiens ricanèrent et s'élancèrent à leur poursuite dans un puissant 4 x 4 : ils n'iraient pas bien loin, avec leur vieille guimbarde, ces deux VOLEURS minables !

– *On y va !* ordonna pendant ce temps Paulina en voyant les deux véhicules DISPARAÎTRE au bout de la rue.

Ashvin, Jaya et elle pénétrèrent dans l'entrepôt resté ouvert.

Tout l'intérieur résonnait des cris des singes, épouvantés derrière les barreaux des cages. Heureusement, les deux langurs étaient partis avec les gardiens !

Ashvin et Paulina ouvrirent aussitôt toutes les cages. Ils avaient trouvé dans un coin un régime de BANANES, qu'ils distribuèrent aux petits animaux pour les *calmer*.

Même Jaya les aida.

Il fallut beaucoup de patience pour que les singes,

peu à peu, se tranquillisent et leur fassent confiance. Mais pour finir, quand leurs nouveaux amis sortirent de l'entrepôt, tous les petits singes suivirent.

Certains, tout jeunes, étaient **EFFRAYÉS**.

D'autres, plus âgés, sautillaient tout excités, comme des enfants devant un nouveau JEU.

Paulina leur parla avec *douceur*, se laissant flairer et toucher, évitant les gestes brusques. Mais ce fut le PETIT Jaya qui sut les convaincre ! Quelques grimaces et piaillements d'encouragement lui avaient suffi pour devenir le chef du clan !

Le vieux bâtiment de la **Shilux** Electrics, à présent, était plongé dans la nuit profonde.

Pas de temps à perdre : le groupe prit aussitôt la direction de l'oasis des Souris Bleues, en coupant à travers bois pour arriver plus vite.

À TRAVERS BOÏS

Violet et Colette, pendant ce temps, étaient dans le **TAXI** qu'elles avaient appelé grâce à leur portable et filaient vers la ville.

Silencieuses et inquiètes, elles REGARDAIENT les immeubles défiler derrière les vitres.

Colette essaya de rassurer Violet, la main délicatement posée sur l'avant-bras de son amie :

– Ne t'inquiète pas, ma Vivi ! Tu verras, Lakshan fera intervenir la police immédiatement !

Violet sourit tristement :

– Espérons que nous arriverons à temps. Les autres doivent être dans les bois, et il fait de plus en plus **NUIT** !

Au même instant, en effet, Paulina et Ashvin tentaient de s'orienter dans un bois **TOUFFU**. La faible lueur de la lune avait du mal à pénétrer

entre les B R A N C H E S des arbres et des buissons.

Ashvin n'était allé à l'oasis des **Souris Bleues** que de jour, et bientôt il fut incapable de se repérer.

Même des lieux familiers semblent complètement **DIFFÉRENTS** quand on les voit au clair de lune !

Seul le petit Jaya paraissait PROGRESSER avec assurance et sans hésiter.

On aurait dit que le petit singe savait exactement où aller et, puisque les autres singes le suivaient avec confiance, Ashvin et Paulina décidèrent que pour ce trajet Jaya serait le chef de groupe !

Mais ce que Jaya ne pouvait savoir, évidemment, c'était leur but : l'oasis des Souris Bleues !

– Où nous emmène-t-il, à ton avis ? demanda Paulina.

Ashvin soupira, bien EMBARRASSÉ pour répondre :

– Aucune idée ! Au moins, il nous emmène quelque part, tandis que moi, je suis complètement désorienté !

– Ne t'en fais pas, Ashvin ! dit Paulina en posant la main sur l'épaule du garçon pour l'encourager. L'instinct des animaux SAUVAGES est bien plus développé que le nôtre... Jaya nous conduira dans un lieu habité, tu VERRAS !

Puis son expression se fit songeuse, et la jeune fille murmura comme pour elle-même :
– Je me demande bien où sont Pam et Nicky en ce moment… Espérons qu'elles ont pu échapper aux griffes de ces FORBANS !

COïNCÉES !

Paméla avait habilement manœuvré pour entraîner les gardiens des singes loin de l'entrepôt. Elle RALENTISSAIT jusqu'à se laisser presque rattraper par le puissant 4 x 4, puis REPARTAIT de plus belle, laissant ses poursuivants le bec dans l'eau !

Peu à peu, Pam était revenue en ville et s'était glissée dans les ruelles étroites de la VIEILLE ville de Chennai.

Nicky vérifia de nouveau la ROUTE derrière elles et dit, pleine d'espoir :

– Nous devons être loin de la Shilux, maintenant.

– Je le crois aussi, ma belle ! acquiesça Pam en retour. Depuis le temps que nous roulons ! Les petits singes sont sûrement en sécurité dans les

BOIS, à présent ! Nous allons semer nos poursuivants : c'est pour cette raison que j'ai pris ces petites rues !

En disant ces mots, Pam donna un coup de volant sur la droite pour enfiler une petite rue, puis une autre immédiatement à gauche, afin de disparaître à la **VUE** des deux gardiens, mais...

SCRIIIIII !

Elle dut freiner brutalement car devant elle la rue était **BLOQUÉE** par un gros camion arrivant en sens inverse.

Le 4 x 4 lancé à la poursuite des filles surgit en un éclair, freinant pile derrière leur camionnette.

Nicky et Pam **sursautèrent** en même temps : elles étaient prises au piège !

Et comme si ce n'était pas assez, voici que descendait du gros camion rouge bloquant la rue... ce rat **perfide** de Gurnam !

Les deux gardiens, en effet, inquiets de cette poursuite qui paraissait sans fin, s'étaient décidés à téléphoner à leur chef pour lui raconter toute l'affaire.

Gurnam s'était alors précipité à leur rencontre, et riait bien maintenant, tandis qu'il s'approchait de la camionnette :

– HA HA HA ! Petits voleurs à la manque ! Vous avez cru pouvoir jouer un tour à Gurnam, hein ? Je vais vous donner une belle leçon, moi ! Ouvrant la portière côté conducteur, il attrapa Pam par le bras et la tirait sans ménagement à l'extérieur quand, soudain… il la reconnut !

– Dis donc... c'est une des petites copines d'Ashvin, ça ! s'exclama-t-il, tout étonné.
Et il ajouta :
– Elles ont découvert mon entrepôt secret !
Pam tentait de se DÉGAGER de la prise, mais c'était en vain. Gurnam était vraiment hors de lui :
– Il faut retourner tout de suite *là-bas* ! Je sens que quelque chose ne tourne pas rond !

UN ÉTRANGE PERSONNAGE

Paulina, Ashvin et les singes fugitifs progressaient à vive *ALLURE* dans les bois derrière Jaya.

L'obscurité s'épaississait, mais Paulina s'aperçut bientôt que la VÉGÉTATION devenait peu à peu moins touffue.

– Je vois une LUMIÈRE là-bas ! s'écria-t-elle soudain, montrant une faible lueur transparaissant entre les arbres au loin.

Au même instant, Jaya poussa un grand cri de joie et partit à toute *VITESSE*, comme incapable de résister. Le groupe accéléra le pas derrière lui mais la fatigue commençait à se faire sentir, et il fallait éviter les obstacles sur le sol.

Les **bois** s'ouvrirent sur une clairière où d'étranges formes obscures entouraient une maison basse aux fenêtres éclairées.

Les **cris** de Jaya ne cessèrent pas tant que la porte ne fut pas ouverte.

Une grande silhouette vêtue d'une longue veste **BLANCHE** apparut sur le seuil, et l'on entendit :

– Jaya ! C'est toi ? Que fais-tu ici à une heure pareille ?

Soudain jaillirent de l'**ombre** de la forêt des dizaines et des dizaines de singes, qui entourèrent le vieil homme abasourdi.

YEEEK YEEEK YEEEK YEEEK YEEEK !

– Eh bien, Jaya, tu es venu avec des amis ?! dit-il d'un ton amusé.

C'était un VIEILLARD qui respirait la tranquillité et la gentillesse.

Ashvin et Paulina s'avancèrent et inclinèrent la tête en guise de salut.

– Pardonnez-nous cette invasion, dit tout de suite Ashvin. Nous cherchons l'oasis des **Souris Bleues**, mais, dans l'obscurité, nous avons perdu notre chemin. Et je crois que Jaya a décidé tout seul de nous guider jusqu'ici...

Le vieillard SOURIT dans sa longue barbe blanche et dit :

– Vous n'avez pas à vous excuser ! Les amis de Jaya sont toujours les bienvenus à l'Amita Artist Village !

Puis il se présenta :

– Je m'appelle Danesh, et je suis le plus vieux membre associé du village.

Paulina et Ashvin échangèrent un regard surpris : Jaya les avait conduits jusqu'à un village d'artistes !

L'endroit était très isolé, immergé en pleine **NATURE**. Danesh leur expliqua que c'était un village réservé aux peintres, aux sculpteurs, aux *poètes* et aux musiciens, qui pouvaient y créer tranquillement, en s'inspirant des **beautés** de la forêt qui les entourait.

En regardant autour d'eux, Paulina s'aperçut en effet que les formes **S O M B R E S** qu'ils avaient remarquées en arrivant n'étaient autres que des... statues de *PIERRE* !

À l'intérieur, dans les vastes pièces, pas un seul meuble mais des tableaux et des sculptures de toute forme et de toute couleur.

Les artistes qui vivaient et travaillaient dans le village accueillirent avec amusement l'invasion inattendue des singes... mais ils ne savaient pas ce qui les attendait !

En un instant, les singes se précipitèrent pour ouvrir les pots de COULEURS, s'emparèrent des pinceaux... et se mirent à peindre eux aussi !

– NOOOON ! s'écrièrent Ashvin et Paulina, horrifiés.

QUELLE CATASTROPHE !!!

QUATRE FILLES EN DIFFICULTÉ...

Gurnam, pendant ce temps, avait emmené Paméla et Nicky jusqu'à l'ancienne usine Shilux, et l'avait trouvée vide.

– **ILS ONT PRIS TOUS MES SINGES !**

Je suis sûr que c'est l'œuvre de ce fouineur d'Ashvin ! hurla-t-il, dans une grande agitation.

Après avoir inspecté tous les coins et recoins de l'entrepôt, Gurnam, l'œil mauvais, se tourna vers Paméla et Nicky.

– Où est votre ami ? Où a-t-il emmené mes singes ? Parlez, ou…

Mais il n'acheva pas sa menace, car un des deux gardiens l'appela :

– *Chef !* Regardez les langurs, chef !

Les deux grands singes gris, dressés comme des limiers, avaient découvert les traces des fugitifs qui se dirigeaient vers les **BOIS**.

Gurnam comprit aussitôt :

– Ashvin emmène les singes à l'oasis des **Souris Bleues** !

L'attrapeur de singes s'accroupit alors près des deux langurs et les caressa, en susurrant :

– Vous allez me les retrouver, mes singes, hein, mes petits trésors ?

Puis il toisa Paméla et Nicky en ricanant, et se tourna vers les gardiens.

– Ces deux fouineuses vont nous retarder ! ATTACHEZ-les et enfermez-les dans l'usine. Ensuite, rejoignez-moi. Avec mes fidèles langurs, nous suivrons la piste pendant qu'elle est encore CHAUDE !

Paméla et Nicky n'opposèrent aucune RÉSIS-TANCE et se laissèrent attacher. En fait, elles pensaient surtout à Violet et Colette !

« À l'heure qu'il est, elles ont dû trouver Lakshan, et la police viendra bientôt nous délivrer », se disait Pam.

Malheureusement, elle se trompait ! Colette et Violet avaient bien atteint la ville, en effet, mais leur **TAXI** avait été arrêté au moment même où elles arrivaient près du théâtre où était Lakshan.

– Nous devons passer ! C'est **URGENT** ! supplia Colette par la vitre pour tenter d'apitoyer le garde à l'air **REVÊCHE** qui barrait la rue à tous les véhicules.

Le spectacle de bienfaisance était un événement très **IMPORTANT**, et la circulation autour du théâtre était filtrée par des contrôles de sécurité.

– Nous ne réussirons jamais à convaincre ce **GARDE** de nous laisser passer ! commenta Colette, désespérée. Autant laisser le taxi et continuer à pied !

Les deux filles payèrent le chauffeur et se **PRO-PULSÈRENT** dans le dos du garde pour courir à perdre **haleine** vers le théâtre. Elles zigzaguèrent entre les voitures à l'arrêt au milieu de la

: on aurait dit qu'elles dansaient au son des klaxons !

– Espérons que les autres ont eu plus de chance que nous ! POUFF **POUFF...** lâcha Violet, tout essoufflée par la course.

Elles n'avaient pas eu de nouvelles de leurs camarades car le signal des téléphones portables, dans les bois, ne passait pas !

Quel Désastre !

Les petits singes avaient provoqué un vrai **DÉSASTRE** dans l'Amita Artist Village !
Ils avaient saccagé toute la réserve de matériel et peinturluré les tableaux et les statues comme une horde de vandales !

Leur arracher des **PATTES** pinceaux et pots de peinture ne fut pas une mince entreprise.

Et quand enfin ce fut fait, ils se retrouvèrent tous *éclaboussés* de taches de peinture !

Danesh était le seul à rire :

– **Hé ! Hé ! Hé !** Nous voilà transformés en tableaux vivants !

Les autres artistes, en revanche, trouvaient la chose bien moins AMUSANTE !

Ashvin et Paulina, très embarrassés, se hâtèrent de quitter le village avant que les petites bêtes inventent une autre CATASTROPHE.

Danesh leur expliqua le chemin pour l'oasis : selon lui, ils devaient pouvoir y arriver avant l'**AUBE**. La drôle de troupe multicolore reprit donc sa marche à travers bois. Mais leurs ennuis n'étaient pas terminés !

Alors qu'ils étaient trop **loin** du village pour faire demi-tour, en effet, un coup de tonnerre brisa soudain le silence de la nuit. En quelques secondes, la pluie se mit à tomber à verse !

Les bébés-singes, épouvantés, s'éparpillèrent dans toutes les directions et les deux amis durent courir les rattraper avant qu'ils se perdent.

Une fois encore, Jaya se montra d'une aide précieuse : il se comporta comme un vrai chef de clan, RASSEMBLANT l'un après l'autre les animaux qui s'étaient éloignés !

La pluie tombait dru, et semblait ne pas être près de se calmer.

Même les arbres au feuillage le plus épais n'étaient pas un abri suffisant !

La TENSION de cette nuit interminable commençait à se faire sentir et Paulina, exaspérée, lança :

– Pfff ! Je suis trempée, couverte de boue et en plus j'ai perdu le lacet de ma tresse... Où peut-on s'abriter ?

Par chance ✳, les singes, se fiant à leur instinct, avaient déjà découvert un refuge possible.

– Un vieux palais en ruines ! s'écria

Ashvin en indiquant l'endroit vers lequel les ANIMAUX se dirigeaient.

Paulina, soulagée, eut un grand sourire et caressa le bébé-singe qu'elle portait dans les bras.

– Nous les sauvons de Gurnam, et eux... ils nous sauvent de l'orage !

LE TRÉSOR LE PLUS PRÉCIEUX

La pluie martelait aussi obstinément le toit de l'ancienne usine Shilux, où Nicky et Pam, lasses d'attendre, essayaient à présent de se DÉTACHER l'une l'autre.

– Je ne comprends pas pourquoi la POLICE n'est pas déjà là ! dit Nicky, préoccupée, tout en aidant son amie à se libérer des cordes.

– Moi non plus, mais nous devons SORTIR d'ici, lui répliqua Pam. Les autres ont peut-être besoin de notre aide, là-bas !

Enfin les derniers nœuds cédèrent et Pam lança la corde au loin avant de masser ses poignets engourdis.

Puis elle libéra Nicky et, pendant que celle-ci vérifiait qu'aucun sinistre individu n'était resté dans les parages, elle FOUILLA la pièce à la

recherche de son portable, que les deux gardiens avaient jeté dans un coin.

En ville, la pluie soudaine avait surpris Violet et Colette à moins de cent mètres de l'entrée du théâtre où Lakshan se trouvait. En quelques instants, elles furent TREMPÉES comme des soupes !

– Nous y sommes, Vivi ! s'exclama Colette, le souffle court et les cheveux ruisselants. Lakshan est là, derrière ces colonnes...

Mais c'était sans compter avec les agents de sécurité du théâtre. L'un d'eux surgit et barra aussitôt le chemin aux intruses.

– C'est une soirée sur invitation, *mesdemoiselles* ! Nous ne pouvons pas vous laisser entrer !

– Oh noooon ! explosa Violet, exaspérée. Vous n'allez pas vous y mettre, vous aussi !

Par chance ✳, au même moment, une foule de spectateurs bien habillés sortait de la salle : le spectacle était **TERMINÉ** !

Violet et Colette se dégagèrent pour chercher le fils du maharadjah parmi la foule, pendant que les agents tentaient de les retenir.

– Lakshan ! Lakshan !

Enfin leurs efforts furent récompensés : Lakshan entendit crier son nom et se précipita vers elles.

– Ces deux jeunes filles sont mes amies ! s'exclama-t-il. Laissez-les passer !

Colette et Violet furent tellement soulagées de le voir qu'elles se jetèrent d'un même élan dans ses bras... le trempant à son tour !

Lakshan écouta le récit de toutes leurs péripéties et appela immédiatement le chef de la police en personne. Aussitôt fut

mobilisée toute une équipe de sauveteurs qui les escorterait jusqu'à l'ancienne USINE pour aider leurs amis.

– Je suis désolée, Lakshan ! murmura Colette. Nous n'avons pas encore retrouvé l'émeraude...

Lakshan la REGARDA intensément et lui répondit avec douceur :

– L'important, c'est que vous soyez tous sains et saufs. Même la pierre la plus précieuse du monde ne vaut pas les dangers que vous courez en ce moment pour moi !

Ce fut alors que le portable de Colette sonna.

TIRITIRITIRITIIIIII !

C'était Pam ! Il ne fallait pas perdre un instant :
elles devaient les rejoindre au plus vite à l'usine
SHILUX !

GUET-APENS DANS LES RUINES !

Gurnam et ses hommes de main, précédés par les langurs, atteignirent l'Amita Artist Village un instant avant que la pluie commence à tomber. Les **FORBANS** repérèrent aussitôt les traces du passage des singes et obligèrent Danesh à les laisser entrer. Puis ils **DÉTACHÈRENT** les langurs de leur laisse et leur firent parcourir tout le bâtiment, mais les animaux ne trouvèrent personne.

– Où sont-ils passés ?! **lâcha** Gurnam, énervé. Je suis sûr qu'il sont passés ici !

Les artistes du village, irrités par ses manières, ne voulurent rien lui dire. Danesh soutint le regard **FÉROCE** de Gurnam.

– Partez immédiatement, ordonna-t-il, ou j'appelle la police !

Gurnam lui répondit avec un SOURIRE moqueur :

– Espèce de vieil imbécile ! Nous les aurons retrouvés bien avant !

Les langurs et les deux SOUS-fifres exploraient les environs à la recherche d'indices. Soudain, l'un des deux lascars tendit à Gurnam un ruban orange qu'il avait trouvé ACCROCHÉ à un buisson : c'était le ruban de Paulina pour attacher ses cheveux !

Gurnam examina lui aussi le TERRAIN alentour et repéra deux empreintes. Une lueur mauvaise traversa son regard.

– Ils sont partis vers le palais en ruine !

La grosse averse avait transformé le sol en marécage mais Gurnam avançait, indifférent à la

pluie, et après quelques minutes le groupe arriva en vue de l'ANCIEN palais.

Cependant, à l'intérieur, les singes avaient senti leur approche. Ashvin remarqua leur **AGITA-TION** et jeta un coup d'œil dehors :

– Il y a des lumières, là-bas ! Quelqu'un est en train de s'APPROCHER !

Quand ils furent à proximité de l'entrée, Gurnam et ses deux sous-fifres dirigèrent leur torche vers les vieux murs envahis par la VÉGÉTATION et pénétrèrent dans le palais.

L'intérieur semblait désert, mais soudain... une forme BONDIT devant eux, jaillie de l'ombre ! C'était Ashvin, accroché à une liane.

– Eh, Gurnam ! Tu travailles la NUIT, maintenant ? lui cria-t-il d'une voix espiègle.

Gurnam fut pris au dépourvu et s'arrêta net.

Et ce fut à cet instant que... SCHLAFF !

Une épluchure de **BANANE** lui arriva en plein sur le museau ! Le malfaiteur leva sa torche et découvrit alors tous les singes postés là-haut ! Et aussi Paulina et Jaya !

SCHTOUNK! -AÏÏÏE BING !
PAF ! Schlaff ! -OUILLE !
-Houla!

Les fruits pleuvaient comme des grêlons sur Gurnam et ses acolytes, au point qu'ils n'eurent d'autre choix que la *FUITE* !

SAUVÉES !

La retraite de Gurnam n'était que momentanée. Loin de se RÉSIGNER, il attendait maintenant les jeunes à l'extérieur : Paulina et Ashvin en étaient sûrs !

Malheureusement, ils savaient en plus que, dans les BOIS, les portables ne fonctionnaient pas. Impossible d'appeler pour recevoir du secours !

– Violet et Colette ont dû déjà avertir Lakshan ! fit remarquer Paulina, qui s'accrochait à ce dernier espoir.

Ashvin écarta les bras, l'air EFFARÉ.

– Mais ils n'ont aucune idée de l'endroit où nous sommes !

– Eh bien, tant pis ! Nous nous en sortirons tout seuls ! déclara Paulina d'un ton décidé. Il le faut !

Ce qu'elle ne pouvait savoir, c'est qu'au même moment Lakshan, Violet et Colette venaient d'arriver à l'ancienne usine **Shilux**, où Paméla et Nicky étaient toujours enfermées. Et qu'ils étaient accompagnés d'un important déploiement de forces de **POLICE**.

Nicky et Pam racontèrent que Gurnam et ses **ΔϹΟΙϒϮΕϚ** s'étaient volatilisés aussitôt après les avoir enfermées.

– Ce vieux roquefort **pourri** ! répétait Pam, très en colère.

– Avez-vous contacté l'oasis des **Souris Bleues** ? demanda Nicky. Ashvin et Paulina y sont arrivés sains et saufs, j'espère ?

– Hélas non, Nicky ! répondit Lakshan d'un ton soucieux. Le chef de la police vient de me dire qu'à l'oasis on n'a encore vu PERSONNE !

Les filles étaient prêtes à s'**élancer** aussitôt à la recherche de leurs amis disparus, même s'il leur fallait pour cela passer toute la forêt au peigne fin, quand...

– Capitaine ! Un appel du central ! signala un des agents au chef de la police en lui tendant le micro de la radio de bord.

Le central venait en effet de recevoir un appel de l'Amita Artist Village :

– Le directeur du centre est dans tous ses états ! Il dit que trois individus LOUCHES ont pénétré dans le village, puis sont repartis à la **POURSUITE** d'une troupe de singes.

– *C'est eux !* cria Colette.
Courons-y, vite !

SORTONS D'ICI !

Dans le vieux palais en ruine, Paulina et Ashvin cherchaient un moyen de s'*ÉCHAPPER* : leur refuge était devenu un piège !

– Regarde, là, il y a un trou ! fit remarquer Paulina, en INDIQUANT le bas du mur. Si seulement nous arrivions à nous sauver par là…

Ashvin la rejoignit et EXAMINA la situation.

– Nous sommes à l'arrière du bâtiment, déclara-t-il. Par là, nous pourrions peut-être SORTIR sans être vus ! Mais ce

trou n'est pas bien grand... Les singes s'y faufile-
ront sans problème, mais nous ?!
– Il faut essayer ! l'exhorta Paulina.
Elle se pencha, glissa sans hésiter sa tête dans le
trou sombre. Puis il lui fallut ramper, se contor-
sionner, pousser de toutes ses forces avec ses
bras en avançant peu à peu. Mais à la fin...
STOUMP... elle se retrouva dehors !
Lors de son passage, de petites PIERRES
s'étaient détachées et le trou s'était un peu élargi.
Alors elle revint à l'intérieur et encouragea
encore une fois Ashvin :
– Courage, nous sommes presque sortis d'affaire ! Partons d'ici !
Après Ashvin, Paulina fit PASSER les singes
un par un. Mais l'opération ne se révéla ni simple
ni rapide, car les petites BÊTES avaient PEUR
et ne voulaient pas abandonner leur refuge.
Or Gurnam pouvait décider d'attaquer d'un
moment à l'autre !
– S'il arrivait maintenant, nous serions inca-
pables de nous défendre ! réfléchit Paulina en
regardant autour d'elle, désespérée.

Ses yeux se posèrent sur les lianes qui pendaient du plafond, et la jeune fille eut alors une des ses IDÉES géniales...

Tandis qu'elle s'affairait à l'intérieur du palais, Ashvin, à l'extérieur, avait bien du mal à garder les singes serrés les uns contre les autres, sous la pluie battante. Mais avec un peu de patience, il parvint enfin à les rassembler comme il voulait. Gurnam et ses sous-fifres, entre-temps, s'étaient réorganisés, bien décidés à ATTAQUER de

nouveau. Ils étaient dans une telle fureur que rien ne les aurait retenus !

Les bonshommes pénétrèrent tous les trois dans le palais en ruine, brandissant leurs torches électriques **ALLUMÉES**... juste à temps pour apercevoir Paulina et peut-être le petit Jaya disparaître à toute vitesse à l'intérieur d'un T R O U dans le mur !

– Arrêtez ! s'écria Gurnam en s'élançant à leur poursuite, aussitôt imité par les deux autres.

Mais dans sa hâte, il ne vit pas les LIANES tendues devant l'entrée et...

Badaboum !

L'attrapeur de singes s'emmêla les pieds, ses deux sous-fifres lui dégringolèrent dessus, et les deux langurs vinrent s'aplatir en haut du *tas* !

COURS, PAULINA, COURS !

La grande dégringolade de Gurnam et de ses acolytes donna le temps à Paulina de s'éclipser à l'extérieur. Mais à présent, elle devait **COURIR** !

– Cours, Paulina, cours ! l'éperonnait Ashvin.

Comme si c'était facile de courir dans la boue, sous une pluie battante, tandis que ces pauvres bébés-singes peinaient derrière elle ou même s'**ÉGARAIENT** en chemin !

Gurnam se releva bien vite, et la **RAGE** qu'on se soit joué de lui encore une fois lui mit des ailes aux pieds. Il se **CATAPULTA** hors des ruines et en fit tout le tour. La pluie tombait si fort qu'elle le gênait pour voir, mais les fugitifs avaient laissé des empreintes bien visibles…

– Je les aurai ! Je les aurai ! murmurait entre ses dents le brigand, ivre de **colère**.

Paulina était restée en arrière et avait de plus en plus de mal à avancer sur ce terrain **fangeux**, avec deux bébés-singes dans les bras. Quand elle en vit un troisième **tomber** dans une grande flaque, elle se pencha pour l'aider lorsque, du coin de l'œil, elle **APERÇUT** Gurnam à quelques pas d'elle.

– **OH nooon !** balbutia-t-elle, épouvantée.

Tout semblait perdu, quand soudain… une grande **lumière** éclaira tout le bois !

Paulina battit alors des paupières, **SUR-PRISE**, face à ce faisceau puissant pointé exactement sur Gurnam et elle !

Puis elle entendit dans le lointain des voix qui criaient :

– Les voilà ! **ASHVIN ! PAULINA !**

Même dans le chaos du moment, ces voix-là étaient impossibles à confondre, et Paulina cria à son tour :

– **COCO ! NICKY ! PAM ! VIVI ! LES FILLES, JE SUIS LÀÀÀÀ !**

Pam se précipita sur elle, presque à la faire tomber.

– Tu vas bien ? demanda-t-elle en la serrant de toutes ses forces. Mais regarde-toi, on dirait un POUSSIN mouillé !

Quand Paulina put se dégager de l'étreinte de son amie, elle vit que Violet, Colette et Nicky avaient déjà couru s'occuper de Jaya et des autres singes, pendant que Lakshan et Ashvin se donnaient une fraternelle accolade.

Les policiers s'empressèrent d'**ARRÊTER** Gurnam et ses complices.

– Est-ce que tout est fini ? chuchota Paulina, épuisée.

– *Presque* fini, répondit Violet en l'enveloppant dans une couverture pour la **RÉCHAUFFER**.

Ashvin s'approcha de Gurnam, à présent menotté, et **FOUILLA** dans les poches du bandit.

– J'en étais sûr ! exulta-t-il.

Puis, se tournant vers Lakshan, il ajouta :

– Nous avons juste un objet à restituer à son propriétaire légitime !

Dans la paume de sa main brillait... l'émeraude volée !

Lakshan ouvrit grand les **YEUX** et son visage s'illumina : l'émeraude du maharadjah venait d'être retrouvée !

UNE VRAIE FÊTE DE MAHARADJAH

Pendant qu'on emmenait Gurnam et ses deux sous-fifres en prison, toute la bande des petits singes arrivait saine et sauve à l'oasis des **Souris Bleues**. Là, les bébés furent enfin confiés aux soins *aimants* du professeur Marwin et de ses collaborateurs.

Même les deux langurs gris de Gurnam trouvè-

rent asile dans l'OASIS. Pour eux, la période de réinsertion serait plus **longue** et plus difficile, mais tous avaient confiance : ils deviendraient peu à peu moins agressifs.

L'émeraude reprit sa place à temps pour l'arrivée du maharadjah, qui fut accueilli par une semaine de fêtes.

La ville était plus colorée que jamais : des guirlandes de *fleurs* ❀ ornaient les boutiques et l'air embaumait de parfums épicés.

Les Téa Sisters ramenèrent Jaya à sa maîtresse, Shaila. Lakshan, pour récompenser la fillette et son petit animal de l'aide qu'ils avaient apportée, tint à les inviter à la fête **GRANDIOSE** qui aurait lieu dans le palais du maharadjah. Shaila accepta avec bonheur, et les filles se préparèrent pour la soirée en revêtant leurs plus beaux et leurs plus éclatants saris. Même Jaya était d'une grande *élégance*, avec autour du cou son collier de strass ! Lakshan réservait une ultime surprise à ses nouvelles amies : il les emmena à la fête juchées sur deux magnifiques et très *doux* éléphants indiens ! Lakshan et Colette dansèrent ensemble et restèrent proches durant toute la *fête*, apprenant à mieux se connaître. Ce fut le début d'une amitié vraiment spéciale pour notre *Coco* !

Spéciale comme cet été en Inde, qu'elles n'oublie-raient jamais.

Spéciale comme les Téa Sisters et leur fanta-souristique amitié !

INDE

L'INDE EST UNE TERRE MYSTÉRIEUSE ET FASCINANTE, MAIS ELLE SAIT ÊTRE AUSSI TRÈS ROMANTIQUE ! AINSI, LE MAGNIFIQUE TEMPLE TAJ MAHAL FUT DÉDIÉ PAR UN EMPEREUR À SA FEMME, EN HOMMAGE À LEUR AMOUR ÉTERNEL !

ARTISTES... EN HERBE

MA CHÈRE PETITE MARIA,

As-tu aimé notre aventure en Inde ? Pour moi, c'était le voyage le plus fantasouristique de tous ceux que nous avons faits. J'aurais tant aimé que tu sois avec nous ! Mais j'ai encore une chose à te raconter.

Quand nous avons amené les singes à l'oasis des Souris Bleues, nous nous sommes aperçus qu'un des jeunes singes manquait. J'étais désespérée : l'avions-nous perdu en chemin, dans les bois, par exemple, pendant cette terrible nuit ? Et c'est alors qu'on nous a téléphoné de l'Amita Artist Village : le petit singe était resté là-bas ! Il s'était installé tranquillement dans un coin et... il s'était mis à peindre ! Les artistes du village disent qu'il a beaucoup de talent, et ils nous ont demandé s'ils pouvaient le garder. C'est incroyable, non ? On dirait que les singes aussi peuvent avoir un don caché pour la peinture ! Petite sœur chérie, je t'embrasse de tout mon cœur !

PAULINA

Beaucoup des singes qui vivent dans les villes indiennes sont des **macaques**, genre qui comprend de nombreuses espèces et sous-espèces, et qui est répandu dans tout le Sud-Est asiatique, au Japon, en Afghanistan et dans certaines régions de l'Afrique du Nord.

Les macaques vivent en groupe, et l'on peut compter parfois jusqu'à cent individus dans un groupe ! Souvent, ils s'installent en ville pour y trouver nourriture et abri, à cause de la destruction progressive des forêts, leur habitat naturel.

... UNE FAMILLE TRÈS VARIÉE !

Le macaque n'est qu'une des espèces de singes présentes sur la Terre : il y en a vraiment pour tous les goûts !
Le *Callithrix pygmaea*, par exemple, est le singe le plus petit du monde ! Il mesure environ 12 centimètres, sans compter la queue, pèse un peu plus de 100 g, et peut faire des bonds de 4 m ! Il vit dans les forêts tropicales d'Amérique du Sud.

LA PLUS GRANDE INDUSTRIE...

L'industrie cinématographique indienne est la plus active et la plus pro-
lifique du monde : on y produit presque deux fois plus de films qu'aux
États-Unis. Et la **Ramoji Film City**, la « ville du cinéma », à Hyderabad,
est le plus grand ensemble de studios de tournage au monde !

Malgré un prix des places peu élevé, les films indiens
sont ceux qui encaissent le plus de bénéfices au box-office
mondial : ils peuvent compter en effet sur un public fidèle
de près d'un milliard de spectateurs !

... DU CINÉMA AU MONDE

Le terme de **Bollywood** (contraction de Bombay et de Hollywood) est employé pour désigner le cinéma populaire indien en langue hindi et urdu. Dans ce genre de film, la partie consacrée aux chants et aux danses est très importante, et les acteurs sont souvent doublés par des chanteurs professionnels.

L'Inde étant divisée en un grand nombre d'États, dans lesquels on parle des langues différentes, chaque film est produit en une trentaine de langues !

Les National Film Awards sont les Oscars indiens.
Leur prestige est si grand que la cérémonie de remise des prix est présentée par le président de l'Inde en personne !

AU PAYS DES ÉPICES

Madras fut le premier comptoir de la Compagnie des Indes orientales, qui s'occupait de transporter vers l'Europe les épices, le thé, les tissus, les pierres précieuses et autres produits de luxe venus d'Asie.

Aujourd'hui encore, en Inde, on utilise très largement les épices en cuisine, et les plats sont toujours très assaisonnés et parfumés. Mais les épices ne servent pas seulement en cuisine : elles sont également fondamentales dans la production des parfums.
Voici quelques-unes des épices les plus parfumées :

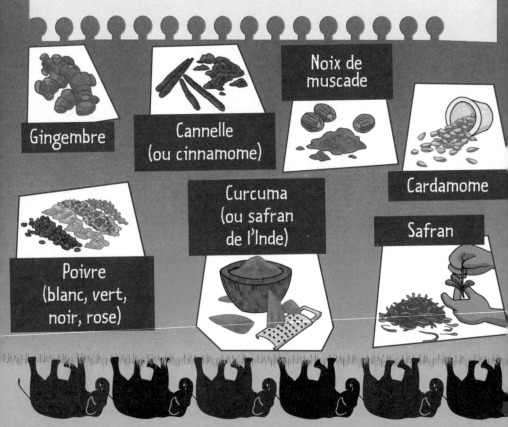

Gingembre

Cannelle
(ou cinnamome)

Noix de muscade

Cardamome

Poivre
(blanc, vert, noir, rose)

Curcuma
(ou safran de l'Inde)

Safran

LES MOUSSONS,
OU L'ÉTERNEL RETOUR DES VENTS

Les **moussons** sont des vents saisonniers qui soufflent dans les régions de l'Asie du Sud-Est.

Ils se forment en raison des différences de températures entre les océans et les terres émergées : l'hiver, la température de la terre descend plus que celle de l'eau de mer, ce qui repousse les vents du continent vers les océans. L'été, en revanche, la terre est plus chaude, et elle attire vers elle les vents venus de la mer.

Les **moussons d'hiver** (période d'octobre à mai) soufflent des montagnes indiennes vers la mer et rendent le climat très aride.

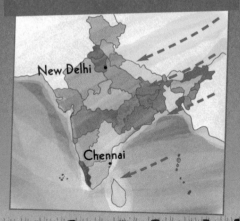

Les **moussons d'été** apportent de la mer un air surchargé d'humidité, et causent des précipitations intenses : on l'appelle la « saison des pluies », pendant laquelle de gigantesques inondations peuvent se produire !

MAHARADJAH

Maharadjah (ou *maharaja*) est le titre que l'on donnait en Inde aux princes d'origine hindoue. Ce mot provient d'une langue asiatique très ancienne, le sanskrit, et était composé des termes **mahat**, « grand », et **rajah**, « roi ».
En 1971, Indira Gandhi abolit la fonction politique et administrative à laquelle correspondait le titre de maharadjah, mais on continue parfois de l'utiliser comme terme honorifique et pour marquer la richesse et l'influence d'une personne.

Les femmes aussi pouvaient avoir un titre semblable, quand elles étaient femme de maharadjah ou qu'elles régnaient sur un territoire spécifique. On les appelait alors maharani (ou *maharanee*).

Téa Sisters

JOURNAL
À
DIX PATTES !

À chacun ses bijoux

A

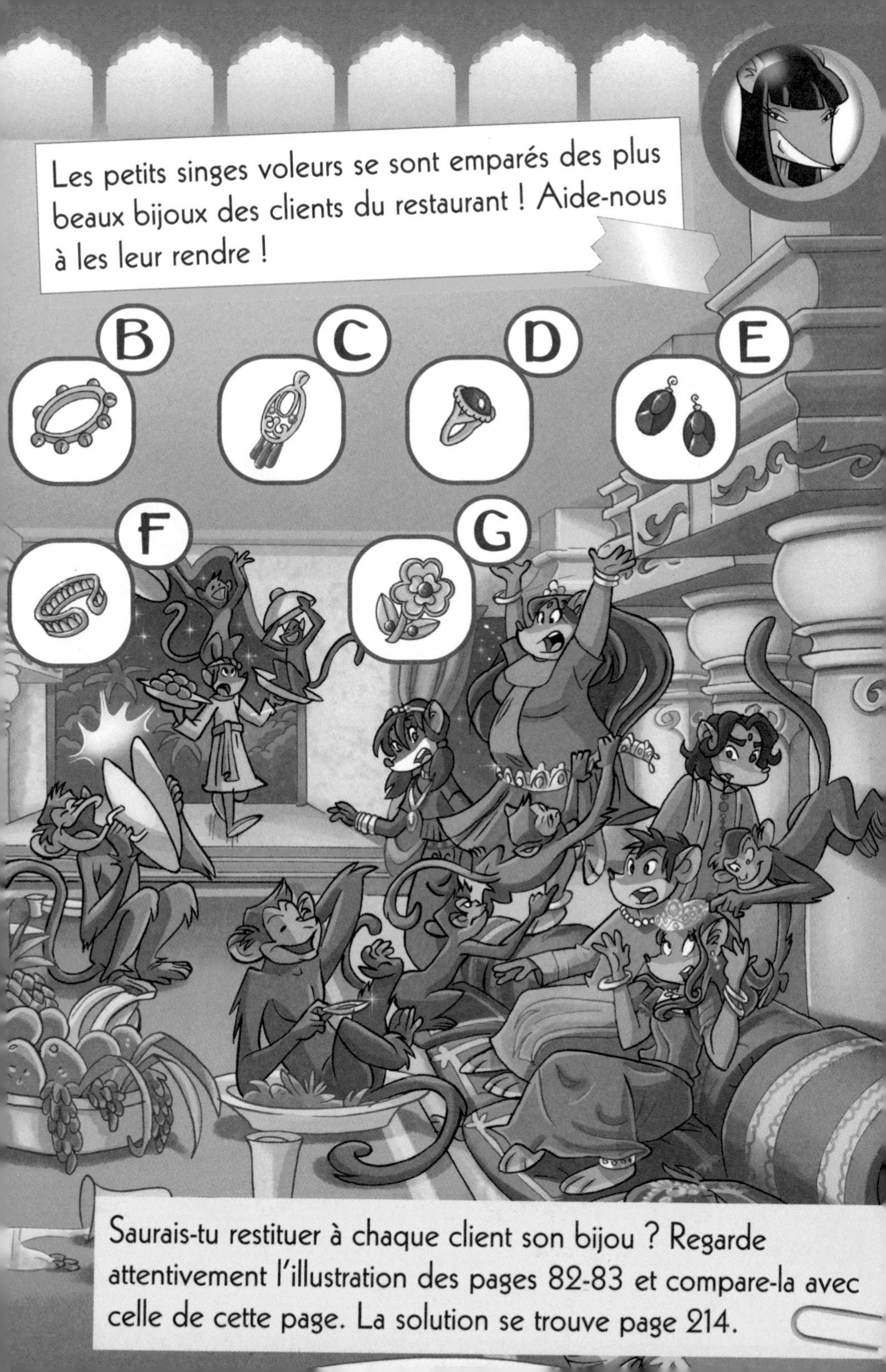

Les petits singes voleurs se sont emparés des plus beaux bijoux des clients du restaurant ! Aide-nous à les leur rendre !

B

C

D

E

F

G

Saurais-tu restituer à chaque client son bijou ? Regarde attentivement l'illustration des pages 82-83 et compare-la avec celle de cette page. La solution se trouve page 214.

INDIENS

Veux-tu connaître les secrets de beauté de la tradition indienne ? Suis mes conseils !

Le **mang tika** est un pendentif qu'on porte sur le haut de la tête. Sa chaîne est accrochée à l'arrière de la chevelure, tandis que le pendentif retombe au milieu du front.

Le **tika** est le point rouge classique, qui se porte généralement sur le front, juste entre les deux yeux.

Le **kajal** noir ou bleu est une sorte de poudre noire ou bleue, tirée de la racine et des feuilles d'une plante. Il s'applique à l'aide d'un bâtonnet spécial sur le bord intérieur de la paupière inférieure, et donne de l'éclat et de la profondeur au regard.

L'huile de noix de coco nourrit le cuir chevelu et rend les cheveux doux et lumineux !

Pour donner des reflets dorés à la peau de leur visage, de leur cou et de leurs bras, les Indiennes se poudrent avec de la poudre de **safran** parfumé.

As-tu vu ces magnifiques saris que nous avons achetés à Chennai ?
Pourquoi n'essaierais-tu pas de t'en faire un ?
C'est très facile, et tu verras : effet élégance garanti !
Voilà de quoi tu as besoin :

Une pièce de tissu en soie ou en coton très léger, long de 5,50 m sur une largeur de 1 m à 1,40 m.

Un *choli*, c'est-à-dire un petit haut serré à manches courtes qui laisse le nombril à découvert, d'une couleur qui s'harmonise avec celle du sari.

Un jupon léger avec un élastique à la taille.

Et pour savoir comment porter le sari, rendez-vous à la page suivante !

1. Vêtue du *choli* et du jupon, passe l'étoffe du sari ouverte derrière ta taille.

2. Entoure une première fois le sari autour de ta taille, en partant de la hanche droite. Fais faire au tissu un tour complet jusqu'à revenir devant toi.

3. Avec le grand pan de tissu qui reste, forme successivement quatre grands plis, que tu glisseras l'un après l'autre sous l'élastique du jupon. Fais-toi aider par un adulte pour les fixer à l'aide d'une épingle à nourrice (ce n'est pas dans la tradition, mais c'est tout de même plus facile !).

...EN SEULEMENT 5 GESTES

4. Entoure une seconde fois le tissu autour de ta taille, en partant de la droite, et ramène-le devant toi.

5. Fais passer le pan de tissu restant devant ton buste, en le drapant sur ton épaule gauche.

Jeux

FAISONS UN PUZZLE !

Saurais-tu reconnaître, parmi les pièces qui se trouvent sur la page de droite, lesquelles manquent au puzzle que nous avons commencé ci-dessous ?
Attention : il y a deux pièces en trop !
La solution se trouve en bas de la page.

LA MANGUE, QUEL RÉGAL !

On trouve dans toute l'Inde des fruits délicieux. Mon préféré, c'est la mangue ! Voici deux recettes rafraîchissantes, parfaites pour l'été. N'oublie surtout pas de te faire aider par un adulte !

KULFI* DE MANGUE

INGRÉDIENTS : 1 mangue de 300 g environ, 50 cl de crème fraîche liquide, 1 petit sachet de pistils de safran, 300 g de lait concentré sucré.

PRÉPARATION : fais chauffer très doucement la crème dans une petite casserole, puis ajoute les pistils de safran et mélange bien. Enlève la casserole du feu et ajoute le lait concentré.

Épluche la mangue, coupe-la en petits morceaux et écrase-la soigneusement ou, mieux encore, passe-la au mixeur : tu dois obtenir une purée moelleuse !

Ajoute cette purée de mangue dans la casserole, mélange soigneusement et verse le tout dans 6 ramequins. Place les ramequins au congélateur pendant au moins six heures. Sors-les du congélateur une dizaine de minutes avant de les servir.

*LE KULFI EST UNE SORTE DE GLACE, FANTASTIQUE À MANGER SUR LA PLAGE SOUS UN PARASOL !

Boisson à la mangue

Ingrédients : 400 g environ de pulpe de mangue mûre, un demi-litre de lait demi-écrémé, 4 grandes cuillerées à soupe de sucre, 1 petite cuillerée de cardamome en poudre, un demi-verre d'eau froide.

Préparation : mélange tous ces ingrédients à l'aide du mixeur, jusqu'à obtenir un liquide lisse et homogène. Place la boisson dans une carafe et laisse-la au réfrigérateur pendant une heure. C'est délicieux, même avec des plats salés !

DÉCOUVRE TON TALENT CACHÉ !

DÉPART

La matière que tu préfères :

A. Français
B. Éducation physique
C. Langue étrangère
D. Éducation musicale
E. Mathématiques

Ta fête idéale :

A. On va tous au cinéma
B. Danser avec tes amis
C. Qu'importe, si on s'amuse
D. Un karaoké où tu chanteras
E. Chez toi, où tu as organisé plein de jeux

Ton cadeau idéal :

A. Un vêtement de marque
B. Un livre dont tu avais entendu parler
C. De l'argent : tu préfères choisir toi-même !
D. Le CD que tu rêvais de t'acheter
E. Le DVD du film dont tout le monde parle

Ce qui t'embarrasse le plus

A. Que personne ne te remarque
B. Passer pour une godiche
C. Faire une blague à laquelle personne ne rit
D. Chanter faux
E. Être photographiée ou filmée

Majorité de réponses A

PRÉSENTATRICE
Tu es à l'aise,
tu aimes qu'on
te regarde
et dominer
la situation !

Majorité de réponses B

DANSEUSE
Pour toi, la musique
et le mouvement ne
font qu'un. Tu ne
tiens pas en place,
il faut que tu bouges
pour te sentir bien !

Majorité de réponses C

ARTISTE DE CABARET
Tu es exubérante
et tu aimes la
compagnie des
gens. Ta gaieté
est contagieuse !

Majorité de réponses D

CHANTEUSE
Pour toi, la musique vient
du cœur. Chanter est ta
façon d'exprimer les
émotions que tu gardes
cachées en toi.

Majorité de réponses E

METTEUSE EN SCÈNE
Tu as du talent mais tu laisses les
feux de la rampe aux autres car tu
préfères travailler dans les coulisses.

JOUONS AUX SINGES FARCEURS

VOICI UN JEU AMUSANT, OÙ IL FAUT ÊTRE AU MOINS 9, ET QUI SE JOUE EN PLEIN AIR !

Les petits « singes farceurs » ont pris un mot et ont séparé toutes les lettres ! Puis ils ont pris chacun une lettre et se sont sauvés ! Rattrapes-en un, si tu y arrives, et recompose le mot de départ !

Les joueurs se répartissent en deux équipes plus un arbitre. On tire au sort l'équipe qui sera celle des « singes farceurs », l'autre étant celle de leurs poursuivants.
L'équipe des singes choisit un mot comportant autant de lettres qu'il y a de singes, et chaque singe en choisit une. Elle communique ce mot à l'arbitre.

1

2 **C'EST LA LETTRE S !**

Au signal de l'arbitre, les joueurs de l'équipe des « singes farceurs » partent dans toutes les directions et l'équipe des poursuivants leur court après.

Quand un singe est pris, il doit dire sa lettre (mais surtout pas le mot !) au joueur qui l'a capturé. Tous deux sortent du jeu.

3 **LE MOT EST « ROSE ».** **PERDU ! C'ÉTAIT « OSER » !**

Quand l'équipe des poursuivants pense avoir trouvé le mot, elle le dit à l'arbitre. Si c'est bien le mot choisi, l'équipe a gagné. Sinon, la victoire revient à l'équipe des « singes farceurs ».

On rejoue une partie en échangeant les rôles.

Fleurs précieuses

Tu aimes les colliers ? En voici un très joli et facile à créer !
Ce qu'il te faut : des petites perles vertes, autant de blanches
et quelques jaunes, un fermoir, une aiguille, du fil, des
ciseaux à bout rond.
N'oublie pas de te faire aider par un adulte !
Voici comment procéder :

1 Attache un des bouts du fil au fermoir. Puis enfile les perles
dans cet ordre : cinq perles vertes et sept perles blanches.

2 Passe l'aiguille une seconde fois dans la première perle
blanche, de façon à former un cercle avec les perles blanches.

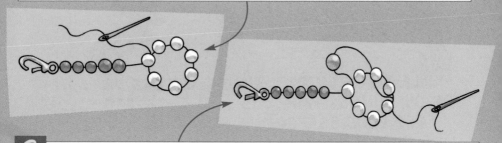

3 Enfile une perle jaune, qui deviendra le cœur
de ta marguerite. Puis repasse l'aiguille dans le trou
de la quatrième perle blanche.

4 Resserre un peu le fil afin que le cercle se ferme pour former la fleur, puis enfile à nouveau cinq perles vertes et sept blanches, puis forme une nouvelle fleur comme en 2 et 3.

FACILE, NON ? EN PROCÉDANT TOUJOURS DE LA MÊME FAÇON, TU PEUX FAIRE DES BRACELETS, DES COLLIERS, DES BOUCLES D'OREILLE, DES BAGUES AVEC TES FLEURS PRÉFÉRÉES : IL TE SUFFIRA DE CHANGER LA COULEUR DES PERLES !

Dans l'image ci-dessous sont représentés quelques-uns des animaux qui vivent dans la forêt tropicale asiatique et... un intrus ! Réussiras-tu à associer chaque animal à son nom et à découvrir quel est l'intrus ?

La solution est à la page 215.

QUI AIDERA JAYA ?

Comment Jaya fera-t-il pour arriver jusqu'aux bananes ? Trace son parcours en choisissant les lettres qui forment cette devise :

TÉA SISTERS AMIES POUR LA VIE !

La solution est à la page 215.

Masala chai

As-tu déjà goûté au « masala chai » ?
C'est le thé aux épices indien, et il est vraiment exquis !

INGRÉDIENTS : 4 tasses d'eau ; 1 tasse de lait ; 10 baies de cardamome ; 4 grains de poivre blanc ; un petit bout d'écorce de cannelle ; 30 g de thé noir indien ; du miel à volonté.

PRÉPARATION :

Avec l'aide d'un adulte, fais bouillir l'eau avec toutes les épices (les baies de cardamome doivent être légèrement écrasées avant, pour qu'elles s'ouvrent) puis baisse le feu et

laisse cuire pendant 15 minutes.

Enlève la casserole du feu et verses-y le thé. Pendant qu'il infuse, fais tiédir le lait sur le feu. Verse l'infusion dans le lait, en filtrant pour ne pas laisser passer le thé et les épices, et ajoute du miel.

C'est encore meilleur accompagné d'amandes !

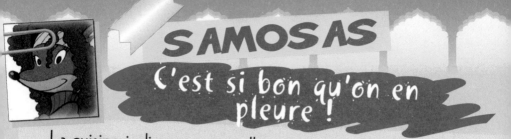

SAMOSAS

C'est si bon qu'on en pleure !

La cuisine indienne est excellente, mais... elle est parfois si épicée que les larmes te montent aux yeux ! Essaie toi aussi de préparer ces excellents beignets indiens, mais rappelle-toi de toujours demander l'assistance d'un adulte.

100 g de petits pois

500 g de pâte feuilletée en rouleau tout prêt

1 carotte

1 petite cuillerée de curry en poudre

2 pommes de terre

huile d'olive et sel

1 petite cuillerée de gingembre en poudre

1 oignon

1 cuillerée de grains de sésame

50 g de fromage de chèvre frais

1 petit peu de persil frais à ciseler

2 petits piments de Cayenne

Préparation :

Fais revenir à feu doux dans une casserole avec un peu d'huile l'oignon coupé en petits morceaux, avec les petits piments (ou un seul, si tu as peur que ce ne soit trop piquant). Ajoute ensuite les pommes de terre et la carotte, épluchées et coupées en petits dés. Laisse cuire 10 minutes avec le couvercle (s'il le faut, ajoute un peu d'eau).

Verses-y les petits pois et laisse cuire encore 5 minutes.

Ajoute alors les épices, le persil ciselé, le sel, et monte le feu 2 ou 3 minutes sans couvercle pour faire évaporer.

Éteins et laisse refroidir ; ensuite, ajoute le fromage et mélange bien le tout.

Étends la pâte feuilletée et découpe-la en carrés d'environ 10 cm de côté. Dépose une cuillerée de farce au centre de chaque carré.

Replie les carrés pour former un triangle. Appuie bien sur les bords pour qu'ils restent soudés et recouvre-les de grains de sésame.

Place les triangles ainsi obtenus dans un plat que tu mettras à four chaud à 180 °C pendant 20 minutes. Attention quand tu les goûteras : la farce à l'intérieur risque d'être très chaude… Bon appétit !

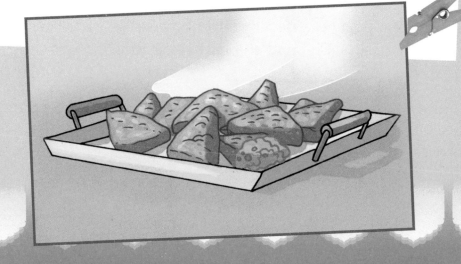

LES JOYEUX PETITS SINGES

Les joyeux petits singes de cette histoire t'ont plu ?
Inspire-toi d'eux pour ajouter à ton look une pointe
de gaieté !
Mais n'oublie pas : avant d'utiliser le cutter, tu dois
demander l'aide d'un adulte.

CE QU'IL TE FAUT : 1 feuille de papier-calque,
1 feutre à pointe fine pour acétate, 1 feutre à pointe
fine pour tissu, de la peinture pour textile, 1 pinceau,
1 cutter, un support en plastique sur lequel couper.

1

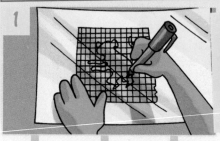

Décalque le dessin
du petit singe de
la figure ci-dessus.

Pose la feuille de papier-calque sur le support en plastique et découpe au cutter la silhouette du petit singe, pour obtenir ainsi un pochoir.

2

Pose le pochoir sur le tissu que tu veux décorer. Moi, j'ai choisi une petite écharpe jaune en coton. Applique la couleur pour textile à l'aide du pinceau à l'intérieur de la forme découpée.

3

Quand ton petit singe sera sec, tu pourras lui dessiner des yeux, un nez et une bouche à l'aide du feutre pour tissu. Et ensuite, pourquoi pas, faire comme moi : j'en ai ajouté un qui s'accrochait au premier, et un autre, et un autre encore !

4

Solutions !

SOLUTION DU
JEU DE LA
PAGE 61
VOILÀ OÙ
ASHVIN S'ÉTAIT
CACHÉ !

SOLUTIONS DU JEU
À chacun ses bijoux
(PAGES 190-191)

Solutions !

SOLUTIONS DE
Œil de lynx
(PAGES 206-207)

L'INTRUS EST LE PARESSEUX TRI-
DACTYLE, QUI NE VIT PAS EN ASIE,
MAIS DANS LES FORÊTS DU BRÉSIL.

PAON

CROCODILE

COBRA À LUNETTES

BINTURONG

LÉOPARD

TIGRE

PYTHON

LANGUR

PANGOLIN

GRAND CORBEAU
CORNU

GIBBON

PARESSEUX TRIDACTYLE

SOLUTION DE
QUI AIDERA JAYA ?
(PAGE 208)

TABLE DES MATIÈRES

Geronimo Stilton

DANS LA MÊME COLLECTION

ÎLE
DES BALEINES

Au revoir,
à la prochaine aventure !

L'île des Baleines

1. Pic du Faucon

2. Observatoire astronomique

3. Mont Ébouleux

4. Installations photovoltaïques pour l'énergie solaire

5. Plaine du Bouc

6. Pointe Ventue

7. Plage des Tortues

8. Plage Plageuse

9. Collège de Raxford

10. Rivière Bernicle

11. *L'Antique Cancoillotterie*, restaurant et siège des *Messageries Ratiques* *– Transports maritimes*

12. Port

13. Maison des Calamars

14. *Zanzibazar*

15. Baie des Papillons

16. Pointe de la Moule

17. Rocher du Phare

18. Rochers du Cormoran

19. Forêt des Rossignols

20. Villa Marée, laboratoire de biologie marine

21. Forêt des Faucons

22. Grotte du Vent

23. Grotte du Phoque

24. Récif des Mouettes

25. Plage des Ânons